YOGA-KÜCHE

MALIN MENDEL

FOTOS: FRIDA WISMAR

ILLUSTRATIONEN: STINA WIRSÉN

MENTOR VERLAG

ISBN: 978-3-948230-12-8

1. deutschsprachige Ausgabe, 1. Auflage 2019

© 2019 Mentor Verlag, Berlin Deutschland

Alle Rechte vorbehalten

www.mentor-verlag.de

Du hast Fragen, Ideen oder Anregungen?

Melde dich per Mail bei uns: service@mentor-verlag.de

Wir freuen uns!

Veröffentlicht in deutscher Sprache in Absprache mit Vulkanisterna AB, Stockholm, Schweden

Schwedischer Originaltitel: „Yogaköket"

ISBN: 978-9-188799-19-7

© 2018 Lava Förlag, Stockholm, Schweden

© 2018 Malin Mendel (Text)

Yoga-Küche – Inhalt

Vorwort von David Batra: Wie Malin mich zu einem Leben
im Sinne des Yoga inspirierte 7

Kapitel 1: Yoga + Bauch = Love 9
Wie Yoga und indische Ernährung mich und meinen Bauch retteten 10
Yoga, Ernährung und Bauch – wie alles zusammenhängt 13

Kapitel 2: Yoga als Abkürzung 19
Yoga für einen zufriedenen Bauch 20
Yoga gegen Stress 22
Bedeutung der Yoga-Atmung 24
Wie sollte man atmen? 26
Nadi Shodhana – eine einfache Atemübung 28
Effekt der Yogaübungen 29

Kapitel 3: Asanas 32
Yogapositionen 32

Kapitel 4: Indische Küche 53
Indische Küche – ein Gesundheitsbooster 54
Thali – die ultimative Mahlzeit voll nützlicher Bakterien 55
Balance im Leben, im Darm & überall 58
Sattva-Diät – die ursprüngliche Yoga-Ernährung 60
Die Top Ten der indischen Ernährungsphilosophie 62
Die besten indischen Zutaten 64
Indische Küche & Kohlenhydrate 67
Protein für Yogis 69
Sind Yoga & Veggie-Ernährung gleichbedeutend? 72
Süß, sauer & ausgewogen 74
Natürlich Gewürze! 79

Kapitel 5: Rezepte 87
Schnell & einfach 88

Vorwort von David Batra

Wie Malin mich zu einem Leben im Sinne des Yoga inspirierte

Die gemächlichen Spaziergänge mit meinen indischen Verwandten bei unseren Besuchen haben meine Sicht auf Bewegung geprägt. Natürlich hatte ich in der Zeit danach auch von Yoga gehört, aber erst als ich Malin kennenlernte, verspürte ich Lust, es einmal auszuprobieren.

Ich erhielt Einblick in Malins indische Gewohnheiten, als ich mit ihr für den schwedischen Fernsehsender SVT eine sechsteilige Doku-Serie über Indien drehte. Fünf Wochen lang verbrachten wir die Zeit, in der wir wach waren, gemeinsam. Zumindest die Zeit, in der ich wach war. Wenn ich die Augen öffnete, hatte Malin bereits Yoga, Teekochen und Experimente mit irgendeinem chilibasierten Rezept für Haferbrei hinter sich, das ich für sie probieren sollte. Mir war die schwedische Variante mit einer Prise Salz zwar lieber, aber ich war fasziniert von Malins Energie und neugierig darauf, wie das mit ihrer Ernährung und Yoga in Verbindung stand.

Weil mein Vater Inder ist, bin ich mit seinen Linsengerichten aufgewachsen, aber das beste Essen, das ich bisher kennengelernt hatte, war das meiner Tante Rekha in Delhi. Später wurde es zu meinem Hobby, indisch zu kochen, und ich habe sogar ein Kochbuch geschrieben.

Mein Vater predigte immer, dass Linsen genauso viel Protein enthalten wie Rinderfilet, aber ich hatte nie darüber nachgedacht, ob indisches Essen gesund ist – bevor ich anfing, mit Malin zu essen. Sie schleifte mich in Imbisse, in die ich mich normalerweise nicht hineingewagt hätte. Oft bestellte sie jedem von uns Thali, einen Riesenteller mit jeder Menge verschiedener Gerichte. Dieses Essen ist etwas ganz anderes als die öligen Currybreie, die hierzulande in indischen Restaurants serviert werden. Die Gemüseeintöpfe waren leicht, Linseneintopf gab es ohne Sahne und dazu wurde dünnes Vollkorn-Chapati statt des fluffigen Naan-Brots mit geschmolzener Butter gereicht.

Laut Malin ist Thali das ultimative Gericht, das alles enthält, was wir brauchen: Protein aus Hülsenfrüchten, Vitamine und Mineralien aus Gemüse und so weiter. Sogar die Gewürze sind gesund. Seit ich mich mit Malin durch unzählige Thali gefuttert habe, neige ich dazu, dem zuzustimmen. Ich wurde auf angenehme Art satt – und gewann mehr Energie.

Und ja, mit Yoga habe ich es auch versucht. Erst dachte ich, das sei nicht mein Ding, weil ich so steif bin. Jetzt aber weiß ich, dass das Gegenteil der Fall ist. Es ist so, dass ich das Dehnen wirklich benötige. Deshalb ist es mein Plan, ernsthaft mit Yoga anzufangen. Und ich experimentiere sogar mit indischen Gewürzen im Haferbrei.

KAPITEL 1

Yoga + Bauch = Love

Wie Yoga und indische Ernährung mich und meinen Bauch retteten

Ich habe 13 Jahre lang in Indien als Korrespondentin für das schwedische Fernsehen gearbeitet und mein Wissen über Yoga und indisches Essen stammt zum Großteil aus dieser Zeit.

Schon bei meinem ersten Auftrag als Journalistin rückte mein Bauch in den Fokus. Auf dem Weg zum Annapurna-Basislager im Himalaya meldete sich mein Blinddarm. Einige mitgebrachte Antibiotika hielten mich am Leben, als man mich den Berg hinuntertrug. Aber in dem kleinen Dorfkrankenhaus konnte man nicht operieren. Zurück in Schweden folgten Monate mit Antibiotika, bevor der Blinddarm entfernt werden konnte.

Danach tat sich ein neues Problem auf. Früher konnte ich essen, was ich wollte, jetzt aber reagierte mein Bauch plötzlich auf alles Mögliche empfindlich. Riesige Mengen Antibiotika hatten gute und schlechte Bakterien abgetötet und ich versuchte auf alle möglichen Arten, die Beschwerden zu lindern. Yoga erwies sich als effektiv, und auf meinen Reisen fing ich an, den Sonnengruß selbst im winzigsten Hotelzimmer zu praktizieren. Bald merkte ich, dass auch indisches Essen ungewöhnlich gut funktionierte, gern in kleinen Portionen und häufig. Anfangs fand ich es problematisch, nicht einfach etwas schnell nebenbei essen zu können. Nach einer Weile aber erkannte ich, dass mein ganzes Gerede über Mahlzeiten und ihre Planung mich näher an die Menschen brachte, denen ich begegnete. Wir hatten ein gemeinsames Interesse, das mich zur indischen Küche führte – und Interviews beenden wir heute oft am Esstisch.

Ich stellte fest, dass viele Inder über umfassendes Wissen über die Zubereitung von gesundem, gutem Essen verfügen. Zwischen chiliduftenden Suppen, die auf dem Ofen köchelten, erhielt ich kleine Vorlesungen, wie Ingwer und Kurkuma vor Entzündungen schützen können oder Zimt die Verdauung auf Trab bringt. Ich fing an, zu verstehen, wie Bauch und Gesundheit zusammenhängen.

Es zeigte sich auch, dass die Tricks, die ich selbst entwickelte, um meinen Bauch bei Laune zu halten, mit den indischen Methoden gut übereinstimmten. Nach dem Erscheinen meines ersten Buches waren meine Kochkurse, in denen es um den Weg zu einer besseren Gesundheit mit Yoga und um die indische Küche geht, ausgebucht. Die Umstellung, zu der ich gezwungen war, stellte sich nämlich als Glücksfall für meinen Körper heraus.

Heute zeigen Studien, dass die Bakterien in unserem Darm eine größere Rolle spielen, als zuvor angenommen. Sie beeinflussen unser Gewicht, die Aufnahme von Nährstoffen, den Umgang mit

Stress und beugen Entzündungen oder Erkrankungen vor. Das ist ein Wissen, über das indische Yogis seit langem verfügen: Der indische Gesundheitsgedanke geht vom Bauch aus. So trägt der beruhigende Effekt des Yoga zum Beispiel zu einem besseren Gleichgewicht der Bakterien im Bauch bei.

In Indien ist das alte Wissen wieder aktuell geworden, als Fettleibigkeit und Diabetes zu den größten Gesundheitsproblemen des Landes avancierten. Denn durch massenproduziertes Fast Food wurden die eindeutigen Auswirkungen von Transfetten, Fleisch und weißem Brot in Indien immer offensichtlicher. Deshalb entscheiden sich jetzt viele Inder, zur vegetarischen Ernährung zurückzukehren. Hausgemachte indische Eintöpfe mit Gemüse und Hülsenfrüchten gehören zum Besten, was wir verzehren können – wie auch all die guten Gewürze. In Schweden hat die Yogalehrerin Lisa Lalér mein Wissen darüber vertieft, wie Yoga und Bauch zusammenhängen. Lisa ist anerkannte Ashtanga-Yoga-Lehrerin und hat viele Jahre über längere Zeiträume am KPJAYI-Institut in Indien studiert. Sie besitzt in Stockholm mehrere Yogastudios und betreut gemeinsam mit Oberarzt Perjohan Lindfors ein Forschungsprojekt zur möglichen Linderung des Reizdarmsyndroms durch Yoga (mehr dazu auf S. 21). Lisa hat auch zu diesem Buch Fakten beigetragen. Und man muss wirklich nicht den Umweg über einen Blinddarmdurchbruch im Himalaya nehmen. Jeder kann Yoga – und indisch kann auch bei uns gekocht werden. Mit *Yoga-Küche* möchte ich einen Weg zu einem zufriedenen Bauch und einem starken Körper aufzeigen.

Yoga, Ernährung und Bauch – wie alles zusammenhängt

Yoga zählt zu den gängigsten Sportarten und wird mit Geschmeidigkeit und gut trainierten Muskeln assoziiert. Aber die meisten Positionen entstanden im Hinblick auf die inneren Organe, vor allem auf den Bauch. Hat man Stress, funktioniert der Bauch schlechter. Aber durch die Bewegungen beim Yoga und die tiefen Atemzüge können Körper und Seele entspannt werden. Dann funktioniert auch die Verdauung besser. Geht es dem Bauch gut, nimmt der Darm Nährstoffe auf, wir bleiben gesund und haben mehr Energie.

In *Yoga-Küche* gebe ich meine besten Gesundheitstipps durch die Kombination von Yoga mit indischen Gerichten weiter. Denn mit dem Training geht oft auch der Wille einher, im Sinne des Yoga zu essen. Man möchte sich nicht körperlich schwer fühlen, wenn man die Position des herabschauenden Hundes oder des Baumes einnimmt. Auf die Ernährung zu achten ist Bestandteil eines Lebensstils im Sinne des Yoga, bei dem es darum geht, dem Körper zu geben, was er braucht, um sich so gut wie möglich zu fühlen. In der traditionellen indischen Küche wird die Verdauung fast zum Teil des Rezepts. Zutaten und Gewürze sind in einem ausgewogenen Verhältnis kombiniert und haben maximale gesundheitliche Effekte. In letzter Zeit hat auch die westliche Welt die gesundheitsfördernden Eigenschaften der indischen Gewürze entdeckt. Was wir essen, beeinflusst nicht nur unseren Körper, sondern ist auch entscheidend für unser Wohlbefinden und unsere Leistung – und natürlich für unser Aussehen. Heute ist oft die Rede von Happy Food und Beauty Food – Zutaten, die uns glücklich machen und uns eine schöne Haut verleihen sollen. Wenn wir aus indischer Perspektive richtig essen, können wir sogar auf Arzneimittel verzichten.

In unserem Teil der Welt sind Bauchschmerzen eine Volkskrankheit und Arzneimittel dagegen Bestseller. Aber nach indischer Tradition muss nicht das Symptom beseitigt werden, sondern das Grundproblem. Der Fokus liegt vor allem auf dem Vorbeugen von Erkrankungen. Das Tolle dabei ist, dass es nie zu spät ist, seine Gewohnheiten zu ändern, weil die Ernährung unseren Körper bestimmt. Nach sieben Jahren sind sämtliche Zellen ausgetauscht. Hat man Bauchschmerzen, lautet die Frage nicht nur, was man vermeiden sollte, sondern auch, was vielleicht fehlt.

Viele Menschen versuchen, gesund zu essen und Sport zu treiben, haben aber trotzdem wenig Energie oder sind übergewichtig. Das kann daran liegen, dass sich der Körper nicht im Gleichgewicht befindet. Vielleicht isst man sogar zu viel Salat und zu wenig Fett oder andere Nährstoffe. Der indischen Gesundheitslehre nach haben die meisten Erkrankungen ihre Ursache im Bauch. So kann einseitige Ernährung zum Beispiel einen Enzymmangel verursachen, der dazu führt, dass die Nahrung nicht aufgespalten und die Nährstoffaufnahme erschwert wird. Neben Nährstoffmangel entstehen so auch Schlackenprodukte aus der unverdauten Nahrung. Sie verursachen Entzündungen, die den Darm weiter aus dem Gleichgewicht bringen und in Erkrankungen, Hautausschlag oder Übergewicht münden. Bei mir selbst weiß ich, dass ich Magenschmerzen und Pickel im ganzen Gesicht bekomme, wenn ich Stress habe und schlecht esse. Trotzdem gibt es natürlich Zeiträume, in denen ich nicht auf mich achte.

Der Vorteil beim Yoga ist, dass es nicht so kompliziert sein muss. Bei meinen Reisen quer durch Indien hatte ich häufig nicht einmal eine Yogamatte dabei. Ich schiebe das Bett weg und mache Yoga direkt auf dem Boden. Es ist besser, einige Positionen auf dem harten Steinboden zu praktizieren als überhaupt nicht. Ich habe sogar die kompletten Yogaübungen auf Toiletten von Flughäfen durchgeführt, wenn ich ohnehin ein paar Stunden warten musste. Vor tausend Jahren besaßen die alten Yogis wohl kaum weiche Matten mit Öko-Siegeln. Beim Yoga ist alles ein Streben. Ein paar Sonnengrüße am Morgen oder ein paar Übungen abends vor dem Fernseher sind ein guter Anfang. Lieber jeden Tag ein bisschen als isolierte Kraftakte.

Das gilt auch für die Ernährung, auch sie kann in kleinen Schritten umgestellt werden. Wenn man gern Lassi mag, kann man etwas Ingwer in den Mixer geben, man kann den Frühstücksbrei auch mit einer Zimtstange kochen oder Kardamom über den Kaffee im Melittafilter streuen.

Mir gefällt an der indischen vegetarischen Küche sehr, dass Gemüse, Linsen und Gewürze zusammenpassen. Sie versucht nicht, Fleischgerichte in Form von Halbfertiggerichten nachzuahmen. Die traditionelle indische Küche geht von dem aus, was heute zu einem großen Trend geworden ist: saisongerecht, ökologisch und vegetarisch zu essen. Die Rezepte in *Yoga-Küche* sind außerdem schnell und einfach zuzubereiten. Die Gerichte enthalten Gewürze, die sie aromatischer machen – und die Verdauung unterstützen. Außerdem sind sie farbenfroh und enthalten automatisch unterschiedliche Antioxidantien und Nährstoffe. Wenn man keine Zeit zum Hacken und Rösten hat, kann man immer Reste zu einem Salat verarbeiten. Mit einem Dressing aus Ingwer, Chili, Limette und Koriander bekommt er einen herrlich indischen Touch.

Präsenz ist beim Yoga zentral – man kann sie auch in der Küche umsetzen. Den Duft genießen, während man Kreuzkümmel anröstet, oder sich selbst inspirieren, indem man farbenfrohe Gewürze und Gemüse vor sich hat, wäre ein guter Anfang. In meinen Kochkursen rege ich dazu an, Dinge auszuprobieren. Schmecke die Soße mit etwas Kreuzkümmel ab und prüfe den Unterschied. Versuche, die Aromen süß, salzig, sauer und scharf hervorzubringen, dann gelingt es am besten.

Die Inder versuchen, ein Gleichgewicht bei Aromen und Zutaten zu erreichen. Eine vegetarische indische Mahlzeit enthält exakt das, was man braucht. Gemüse mit Vitaminen, Linsen mit Protein, Brot oder Reis mit Energie, die langsam umgesetzt wird, und einen Klacks Joghurt. Und jede Menge verschiedener Gewürze natürlich.

Man sollte auch wissen, dass indische Küche nichts mit den mächtigen Curryeintöpfen und dem Naan-Brot zu tun hat, die in Restaurants serviert werden. Das ist Festessen und nichts, was man in Indien täglich zu sich nimmt. Aber ungeachtet dessen, wie gesund hausgemachtes indisches Essen ist, geht es bei *Yoga-Küche* nicht um eine Blitzdiät zur Gewichtsabnahme, sondern darum, gesünder zu werden und sich besser zu fühlen. Und ein unglaublich guter Nebeneffekt ist, dass man kein großes Verlangen mehr nach Chips und Süßigkeiten verspürt, wenn Bauch und Körper im Einklang sind. Die Kombination von indischer Veggie-Küche mit Yoga ist unschlagbar.

KAPITEL 2

Yoga als Abkürzung

Yoga für einen zufriedenen Bauch

Wenn wir unruhig sind, frustriert – oder Gefühle zurückhalten, spüren wir das oft im Bauch. Durch Yoga können wir lernen, mit Stress umzugehen. Frieden mit sich und der Umgebung ist das Mantra des Yoga: sich selbst und seine Umgebung akzeptieren, die Kontrolle aufgeben. Ich hatte tatsächlich die Gelegenheit, dies im chaotischen indischen Alltag zu lernen. Da hielt ich es wie meine indischen Freunde – eine Tasse Tee trinken und lieber ein bisschen reden als hetzen. Aber in Sachen Akzeptanz und Geduld bin ich noch weit vom Ziel entfernt.

In Indien ist Yoga für viele Menschen Bestandteil des Lebens: Schulkinder beginnen den Tag häufig damit und es gibt sogar ein Yogaministerium. Früher wurden auch die gesundheitlichen Vorteile von Yoga erforscht. In Schweden hat das sogenannte medizinische Yoga für Interesse gesorgt, zum Beispiel zeigen Projekte am Krankenhaus Danderyd, dass Yoga mit dem Schwerpunkt auf tiefe Atmung und Entspannung den Blutdruck und Stresshormonspiegel bei Herzinfarktpatienten senkt. Deshalb wird medizinisches Yoga heute bei der Rehabilitation von Patienten in vielen schwedischen Kliniken eingesetzt. Es gibt auch Studien zu den lindernden Auswirkungen des Yoga bei unterschiedlichen Bauchbeschwerden. Lisa Lalér, die ich für dieses Buch interviewt habe, betreut eines dieser Projekte.

Im Frühjahr 2018 wurde eine Pilotstudie durchgeführt, bei der Lisa Lalér Patienten mit Reizdarmsyndrom Ashtanga-Yoga anbot. Die Studie wurde in Zusammenarbeit mit Perjohan Lindfors, M. D., Ph. D., Oberarzt, Gastroenterologe und Hepatologe, durchgeführt. Die Teilnehmer praktizierten Yoga zwölf Wochen lang bei Yogashala in Stockholm und zu Hause. Im Verlauf der Studie äußerten mehrere Teilnehmer, dass sie positive Effekte der Yogaübungen bemerkten – dem Bauch ging es besser und sie hatten weniger Stress.

Yoga ist ein holistischer Ansatz, der Bewegung, Atmung und mentales Training verknüpft. Es ist auch eine Philosophie und ein Lebensstil. Das macht Yoga zu einem komplexen Forschungsbereich und die jahrtausendealten Erfahrungen sind mit empirischen Experimenten nicht leicht zu messen. Aber es ist offensichtlich, dass ein Lebensstil mit Halbfertigprodukten, Stillsitzen und Zeitdruck auf Kosten unserer Gesundheit geht. Meiner Ansicht nach ist Yoga das beste Gegenmittel.

Yoga gegen Stress

Wenn wir Stress haben, äußert sich das oft in Bauchbeschwerden. Stress erschwert die Verdauung; er beeinflusst die Schleimhaut im Magen-Darm-Trakt negativ. Die Schleimhaut ist wichtig für das Wohlergehen der Bakterien. Wenn sie aus dem Gleichgewicht gerät, hat der Darm es schwer, sämtliche Nährstoffe aufzunehmen. Ein unruhiger Bauch erzeugt gleichzeitig weiteren Stress. Wenn wir Schmerzen haben, verspannen wir uns, sodass der Magen sich verkrampft. Dann funktioniert der Darm nicht optimal. All das erzeugt eine Negativspirale, die eine Verschlimmerung der Beschwerden bewirkt. Als ich extreme Bauchschmerzen hatte, wollte ich weder essen noch mich bewegen – aber mit einfachen Schritten kann man die Spirale verlassen. Auch wenn man keine Bauchbeschwerden hat, ist es gut, das anzugehen.

Ich setze Yoga und indische Gerichte als zwei Bestandteile einer gemeinsamen Lösung ein. Jeden Morgen stelle ich mich auf die Matte und mache meine Yogaübungen – ohne einen Gedanken daran zu verschwenden, ob ich Lust habe oder nicht. Egal, wie es mir vorher ging: Danach fühle ich mich besser.

Unser Körper hat oft eine deutliche Art, uns zu zeigen, wenn der Stress zu viel wird. Ich bekomme Bauchbeschwerden, jemand anders Migräne oder ganz andere Beschwerden. Früher war ich frustriert, wenn mein Körper nicht mitziehen wollte, sondern sich allem, was ich wollte, in den Weg stellte. Heute versuche ich, ihn zu akzeptieren, und halte es für großes Glück, wenn er sich nicht mit allem abfindet und einfach weitermacht. Denn früher oder später käme es in diesem Fall zur Notbremsung.

Es ist lange erwiesen, dass körperliches Training gut gegen Stress wirkt, in letzter Zeit rückt der Fokus aber mehr darauf, dass wir auch Ruhe brauchen. Einen Gang runterzuschalten, sich zu erholen, ist nicht nur für Körper und Seele, sondern auch für den Bauch wichtig. Es gibt viele Studien, die zeigen, wie Yoga Stress reduziert. Die Ruhe, die durch Yoga entsteht, ist automatisch gut für den Bauch. Wenn wir entspannen, entspannen sich auch die Organe und fangen an, so zu funktionieren, wie es gedacht ist. Durch die Abkürzung über das Yoga werden die Verdauung und der Blutkreislauf angeregt, der Darm nimmt Nährstoffe auf und wird entschlackt.

Besonders die Yogapositionen, in denen man sich vornüberbeugt, wirken effektiv gegen Stress. Ich setze mich mit ausgestreckten Beinen auf den Boden und beuge mich im Paschimottanasana nach vorn. Und wenn ich Glück habe, kann ich ein Kind davon überzeugen, sich dabei auf meinen Rücken zu legen. Wichtig ist zu versuchen, Nacken und Schultern zu entspannen, wenn man die verschiedenen Yogaübungen ausführt. Meist sitzt die Verspannung nämlich genau hier, aber Yoga begegnet dem durch Kräftigung und Streckung des Körpers. Wenn die Muskeln lockerer werden, kann die Energie frei fließen. Blockaden und Verspannungen lösen sich auf.

Nicht zuletzt sollte man beim Yoga trainieren, den Fokus zu halten und die Gedanken abzuschalten. Und auch das ist gut gegen Stress. Alles steht miteinander in Verbindung, also sollte man Yoga so gut wie möglich praktizieren. *„Do your practice and all is coming"*, wie der Gründer des Ashtanga-Yoga, Sri K Pattabhi Jois, einmal sagte.

Bedeutung der Yoga-Atmung

Die tiefe Yoga-Atmung erhöht die Blutzirkulation im Körper, was für den Bauch von zentraler Bedeutung ist. Die Atmung bewirkt auch Entspannung und ist daher der Schlüssel für die wohltuende Wirkung auf die komplette Verdauung. Durch bewusste Atemzüge hin zu verschiedenen Teilen des Bauches trägt die Atmung auch dazu bei, Darm und Magen zu „massieren" – was Verspannungen löst, die oft für Bauchbeschwerden verantwortlich sind. Je tiefer die Atmung, desto mehr Abfallstoffe kann der Körper abbauen. Das ist fantastisch, weil uns Abfallstoffe krank machen und weil sie die Verdauung belasten.

Um die Bedeutung der Yoga-Atmung besser zu verstehen, sollte man wissen, dass unser Nervensystem zum einen ein somatisches System ist, das unsere bewussten Bewegungen steuert, und zum anderen ein autonomes, das Körperfunktionen steuert, die nicht willentlich beeinflussbar sind, wie zum Beispiel Herzschlag und Darmbewegungen.

Das autonome Nervensystem besteht aus zwei Teilen – dem sympathischen und dem parasympathischen. Das sympathische System reagiert auf Stress, indem es den Blutdruck sowie die Herz- und Atemfrequenz erhöht. Das parasympathische System tritt in Aktion, wenn sich der Körper in Ruhe befindet. Der Blutdruck sinkt, das Herz schlägt langsamer. Das parasympathische System kann wie eine Bremse funktionieren, die zu Ruhe und Erholung führt, während das sympathische die Aktivität des Körpers steuert und wie ein Gaspedal wirkt. Die Atmung bildet die Brücke zwischen Gas und Bremse. Durch die Aktivierung des parasympathischen Nervensystems und ruhige, langsame, tiefe Atemzüge können wir das sympathische System beruhigen. Sonst riskieren wir, jederzeit mit hoher Drehzahl zu fahren, was zu stressbedingten Erkrankungen führen kann. Und die haben häufig mit dem Bauch zu tun.

Yoga schafft eine Ruhe, die das Stressniveau im Körper reduziert. Außerdem trägt der „rauschende" Laut der Yoga-Atmung dazu bei, dass der Vagusnerv in der Luftröhre das parasympathische Nervensystem aktiviert. Der Vagusnerv ist der längste Nerv im menschlichen Körper. Aus dem Lateinischen übersetzt bedeutet „vagus" Wanderer. Der Nerv verbindet gemeinsam mit dem Gehirn eine Reihe wichtiger Organe wie Magen, Darm, Herz und Lunge. Weil sich der Vagusnerv in Kontakt mit dem parasympathischen Nervensystem befindet, beeinflusst er unsere Verdauung und unser Entspannungsvermögen. Also das Rauschen beim Atmen nicht vergessen!

Wie sollte man atmen?

Die Atmung beim Yoga geht in den Bauch und „massiert" den Darm und die anderen Organe in der Bauchhöhle. Es gibt beim Yoga viele unterschiedliche Atemtechniken, aber die am häufigsten angewandte bei der Ausführung von Yogapositionen ist eine tiefe Brust- und Halsatmung mit Ton – sie erfolgt über die Nase.

Zum Üben der Yoga-Atmung: Eine bequeme Sitzposition einnehmen, gern mit gekreuzten Beinen. Den Rücken strecken – stell dir vor, jemand zieht dich an den Haaren am Stirnansatz nach oben.

Ruhig durch die Nase ein- und ausatmen. Die Atmung schrittweise vertiefen, also tiefere Atemzüge nehmen. Zähle zum Beispiel beim Ein- und Ausatmen langsam bis drei. Stelle die Atmung dann vom Bauch um zum Brustkorb. Statt den Bauch im Takt mit der Atmung anzuheben und abzusenken, lässt du den Brustkorb beim Einatmen über die Seiten expandieren. Beim Ausatmen sinkt der Brustkorb etwas zusammen. Der Bauch bleibt verhältnismäßig ruhig. Die Atmung sollte zwischen Becken und am gesamten Rückgrat entlang verlaufen.

Um den rauschenden Laut zu erzeugen, stelle dir einen Raum hinter der Kehle vor. Weiter durch die Nase ein- und ausatmen, aber versuchen, die Atmung etwas weiter nach unten und hinten zum Raum im Hals hin auszurichten. Hier entsteht langsam eine Reibung, die einen weichen, rauschenden Laut erzeugt.

Wenn die Yogapositionen beendet sind, kannst du gern mit gekreuzten Beinen oder im Lotussitz bleiben, die Atmung weiter für mindestens zehn Züge vertiefen und das Rauschen verstärken. Zum Abschluss verlässt du die Yoga-Atmung, legst dich auf den Rücken und ruhst. Wenn du möchtest, kannst du eine Hand auf den Bauch legen, um zu spüren, dass du wieder normal atmest.

Nadi Shodana – eine einfache Atemübung

Jeder kann Wechselatmung gegen Stress einsetzen. Beim Yoga wird diese Atmung zum Ausbalancieren des Nervensystems eingesetzt, weil das rechte Nasenloch nach indischer Gesundheitslehre mit dem sympathischen Nervensystem, das linke mit dem parasympathischen in Verbindung steht. Diese Atemübung kann den Blutdruck senken und ist auch nützlich zur Reinigung der Atemwege bei einer Erkältung oder Allergie.

Nimm eine bequeme Sitzposition ein, zum Beispiel den Schneidersitz. Richte den Rücken auf. Lege die linke Hand auf das rechte Knie. Hebe die rechte Hand hoch. Lege Daumen und Ringfinger leicht je rechts und links an die Nasenflügel. Verschließe das rechte Nasenloch mit dem Daumen. Atme durch das linke Nasenloch ein. Verschließe das linke Nasenloch mit dem Ringfinger, atme durch das rechte Nasenloch aus. Wiederhole dies fünf Mal und wechsle dann die Seite.

Effekt
der Yoga-
übungen

Nicht nur unseren Muskeln tut Bewegung gut. Auch die Funktion der Bauchorgane hängt von physischer Aktivität ab. Wenn wir gehen, laufen oder springen, bewegt sich auch das Rückgrat. Weil es von den Rücken- und Bauchmuskeln gestützt wird, die aktiviert werden, wirkt sich die Bewegung auch auf den Darm aus. Wenn wir unseren Körper aktivieren, arbeitet der Bauch allgemein effektiver. Durch die Bewegungen beim Yoga geht es vor allem dem Bauch besser.

Es sind nämlich nicht nur die verspannten Schultern, die zur Entspannung eine Massage benötigen, auch das Verdauungssystem kann mit etwas Kneten entspannt werden. Viele Yogapositionen zielen auf die Aktivierung der inneren Organe ab und dabei „massieren" wir mit den Bewegungen Magen und Darm. Durch das Verdrehen des Körpers wird die Blutzufuhr gedrosselt, um anschließend wieder zu fließen. Das fördert die Verdauung und Verbrennung.

Je mehr Yoga man praktiziert, umso kräftiger und geschmeidiger wird man. Und umso tiefer kann man in die Bewegungen gehen, sodass die Wirkung der Positionen verstärkt wird. Um sich mit großer

Leichtigkeit zu bewegen und sich beispielsweise noch weiter nach vorn beugen zu können, sollte man versuchen, in den Hüften offener zu werden.

Yoga führt auch zu einer besseren Haltung, was auch wieder gut für den Bauch ist. Wenn wir uns strecken, haben unsere inneren Organe mehr Platz für ihre Funktion, als wenn wir wie ein Mehlsack mit zusammengepresstem Zwerchfell säßen. Beim Yoga arbeitet man daher mit sogenannten Bandhas. Das Wort stammt aus der indischen Sprache Sanskrit und bezieht sich auf den Core-Bereich, also auf den Bauch und den Beckenboden. Die Stärkung der Core-Muskeln ist in vielerlei Hinsicht positiv. Sie halten uns nicht nur aufrecht, sondern fungieren auch als Stoßdämpfer und Schutz für die Gelenke, wenn man etwas hebt oder wenn man läuft. Kräftige Bauchmuskeln erhöhen auch die Stabilität, das Gleichgewicht und entlasten das Rückgrat.

Beim Yoga ist der Core-Bereich außerdem das Energiezentrum des Körpers. Hier befinden sich sämtliche innere Organe und das zentrale Nervensystem gemeinsam an einem Ort – mit dem Magen als Zentrum. Deshalb ist das Üben der Bandhas auch eine Möglichkeit, die Verdauung zu fördern. Kräftige, geschmeidige Muskeln tragen zur Durchblutung des Bauches bei, mit positivem Effekt auf die Verdauung.

Es gibt zwei Bandhas, die besonders wichtig sind: Uddiyana Bandha, die Bauchkontraktion, und Mula Bandha, der Wurzelverschluss.

Uddiyana Bandha wird durch Einziehen des Nabels und des unteren Bauchbereichs zum Ende des Ausatmens aktiviert, wenn man sich in einer Yogaposition befindet. Dabei werden die tiefen und schrägen Bauchmuskeln aktiviert. Wenn diese

Muskeln kräftig und geschmeidig werden, führt das zu einer besseren Haltung und es schützt die Lenden.

Mula Bandha wird beim Einatmen aktiviert. Man versucht, den Beckenboden anzuheben, indem man die Muskeln im Becken- und Anusbereich anspannt. Beim Yoga geht man davon aus, dass die innere Stärke ihren Ausgangspunkt im Steißbein, im Beckenboden und im Rückgrat hat, weil dieser Bereich die Basis oder Wurzel des Körpers bildet. Die Kontrolle über diese Muskeln zu erlangen, kann auch gegen Beschwerden helfen, die mit einem schlecht funktionierenden Darm oder Inkontinenz zusammenhängen.

Außerdem gibt es bestimmte Yogapositionen, die sich besonders positiv auf Magen und Darm auswirken, zum Beispiel die Vorbeuge, die den Bauch zusammenpresst, oder Bewegungen, bei denen der Bauch gestreckt oder gedreht wird. Studien zeigen, dass zwei bis drei Übungseinheiten pro Woche bei Problemen mit dem Bauch zu messbaren Effekten führen können. Allgemein fühlt sich jeder mit Yoga besser. Fünf bis zehn Minuten am Tag können ein guter Anfang sein, wenn man nicht daran gewöhnt ist. Lisa Lalér hat acht Yogapositionen zusammengestellt, die Stress reduzieren und den Bauch positiv beeinflussen. Sie dauern insgesamt etwa eine Viertelstunde. Zwischen den Übungen kann man etwas ruhen, gern in der Stellung des Kindes: Den Vierfüßlerstand einnehmen, ausatmen, das Gesäß auf die Fersen absenken, die Stirn an den Boden, die Arme ausstrecken und die Hände vor sich auf dem Boden ruhen lassen. Das ist eine schonende Vorbeuge, die das Rückgrat streckt sowie Magen und Nervensystem beruhigt. Dabei die Yoga-Atmung fortführen, sonst kommt man raus und muss von vorn beginnen. Der erste Schritt ist einfach, vom Sofa hochzukommen.

KAPITEL 3

Asanas

YOGAPOSITIONEN

Allgemeine Empfehlung für alle Positionen:

Stelle die Atmung in den Vordergrund. Vergiss die Atmung bei den Positionen nicht, stelle sie immer in den Mittelpunkt.

Bleibe für fünf ruhige Atemzüge in jeder Position.

Entspanne Gesicht und Kiefer, auch Nacken und Schultern.

Erzwinge keine Bewegungen, sondern gehe sofort zurück, wenn es wehtut.

URDHVA MUKHA SVANASANA
DER HERAUFSCHAUENDE HUND

Der heraufschauende Hund ist Bestandteil des Sonnengrußes. Die Position aktiviert den Blutkreislauf, der wiederum den Darm in Bewegung versetzt und so die Verdauung positiv beeinflusst. Diese Position – wie auch andere, die die gesamte Körpervorderseite und den Bauch dehnen – wirkt besonders gut bei Bauchschmerzen. Dabei krümmt man sich meist nach vorn, deshalb tut das Gegenteil gut. Man kann sich auch auf ein Kissen legen und den Bauch strecken. Das verschafft den Verdauungsorganen Platz.

In dieser Position ist es wichtig, aktiv mit den Beinen zu arbeiten. Knie vom Boden heben und Brust anheben. Schultern absenken. Vermeide das Hohlkreuz, indem du den Bauch aktivierst, also den Nabel zum Rückgrat hin einziehst. Der Nacken sollte gerade sein, der Blick weist weich Richtung Nasenspitze. Nacken strecken, Kopf nicht nach hinten fallen lassen und nicht nach oben schauen.

PADANGUSTHASANA
HAND-ZEH-POSITION

Die Hand-Zeh-Position kräftigt den Bereich in der Mitte und im unteren Teil des Bauches. Außerdem werden die Verdauungsorgane stimuliert. Nach der indischen Gesundheitslehre Ayurveda wird mit dieser Bewegung Agni, das „Verdauungsfeuer", gefördert. Beugt man sich vornüber, beeinflusst das auch die Leber und die Nieren, weil die Nervenenden am Rückgrat mit den Organen in Kontakt kommen und ihnen einen Schubs versetzen.

Füße hüftbreit aufstellen und die Knie leicht beugen, wenn du die Übung ausführst. Einatmen, Oberkörper vornüberbeugen und den großen Zeh mit Mittelfinger, Zeigefinger und Daumen umschließen. Die Ellenbogen sind auswärts gedreht und leicht nach hinten angewinkelt. Entspanne Schultern und Nacken, halte die Beine angespannt und aktiv und dehne sie etwas. Wenn du die große Zehe nicht erreichen kannst, umfasse das Schienbein. Bei Rückenbeschwerden kannst du die Knie gebeugt halten, wenn sich das angenehmer anfühlt.

UTTHITA TRIKONASANA A
GESTRECKTE DREIECKSPOSITION

Der Effekt dieser Dreiecksposition besteht darin, dass sie den unteren Teil von Bauch und Taille sowie Füße und Beine stimuliert und kräftigt. Sie löst Verspannungen am Rückgrat und öffnet Brust und Schultern. Die Position dehnt den Oberkörper und verschafft dem Darm und dem Magen Raum für ihre Funktionen.

Einatmen und die Füße einen guten Meter voneinander entfernt aufstellen. Die Arme in Schulterhöhe ausstrecken, den rechten Fuß nach außen drehen, ausatmen und über das rechte Bein beugen. Mit Mittelfinger, Zeigefinger und Daumen den großen Zeh umfassen. Wenn du den großen Zeh nicht erreichst, umfasse das Schienbein. Die linke Hand zur Decke strecken und zu den Fingerspitzen der linken Hand schauen.

Die Beine sollten gestreckt sein, das vordere Bein darf aber auch gebeugt werden, wenn die Streckung schwerfällt. Schultern und Achseln öffnen. Versuche, die Ferse des vorderen Fußes in eine Linie mit der Wölbung des hinteren Fußes zu bringen. Denk daran, den Oberkörper gerade über dem vorderen Bein zu halten und nicht nach vorn zu kippen.

Erst die rechte Seite dehnen, dann die linke.

UTTHITA TRIKONASANA B
GEDREHTE DREIECKSPOSITION

Die gedrehte Dreiecksposition stärkt Beine und die Hamstring-Muskelgruppe, dehnt das Rückgrat und öffnet die Brust sowie den Brustkorb. Sie stimuliert auch den unteren Bauchbereich sowie die Mitte und dient nach dem Ayurveda dem „Verdauungsfeuer" Agni. Weil in dieser Position der Bauch effektiv massiert wird, ist sie hervorragend für die Verdauung. Denn wenn man sich von der Mitte aus nach oben dreht, werden Darm und Magen angeregt.

Einatmen und die Füße einen guten Meter voneinander entfernt aufstellen. Die Arme in Schulterhöhe ausstrecken, den rechten Fuß nach außen drehen, ausatmen. Die Arme wie Flugzeugflügel ausbreiten, den Oberkörper über das rechte Bein beugen, sodass der Nabel gerade über dem Bein steht. Hüften parallel halten. Die linke Hand an der rechten Fußaußenseite auf den Boden setzen, die Fingerspitzen parallel zu den Zehen positionieren. Wenn dir das schwerfällt, führe die linke Hand zum rechten Schienbein oder Fuß. Den rechten Arm zur Decke strecken. Brust anheben, die Wirbelsäule drehen und nach oben zu den Fingerspitzen der rechten Hand schauen. Versuche, die Wirbelsäule von der Taille aus nach oben Richtung Brust zu strecken.

Wenn das mit gestreckten Beinen nicht möglich ist, lass die Knie leicht gebeugt. Bei Beschwerden im Nacken schau nach unten oder geradeaus.

Erst die rechte Seite dehnen, dann die linke.

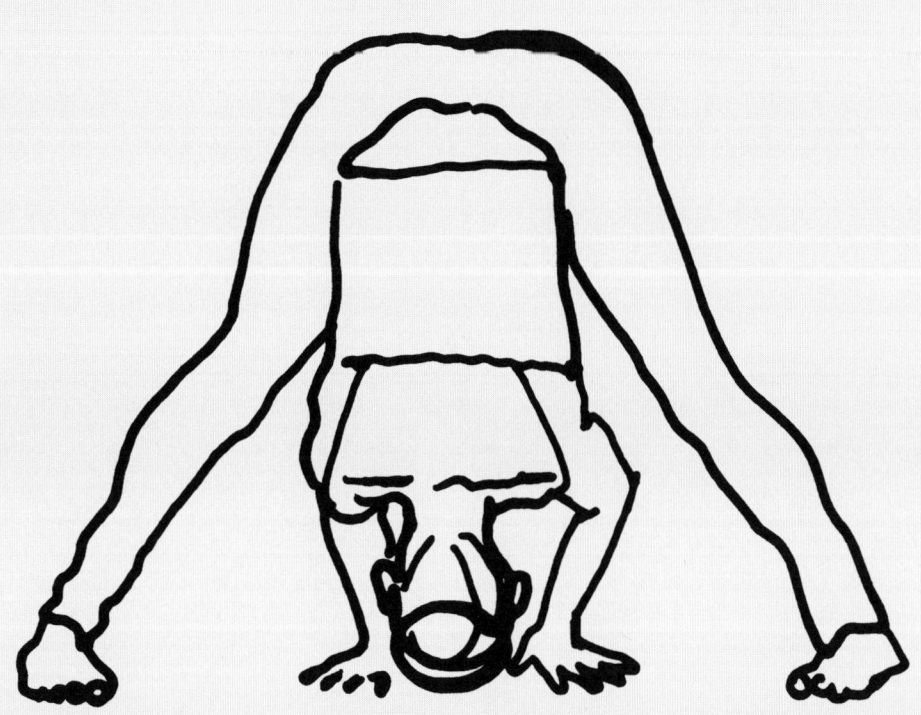

PRASARITA PADOTTANASANA A
VORBEUGE IM WEITEN SPREIZ

Eine Position, die Beine und die Hamstring-Muskulatur auf der Beinrückseite kräftigt und dehnt, die Hüften und das Becken öffnet, den Bereich um den unteren Teil von Bauch und Taille stimuliert und Leber und Nieren unterstützt.

Einatmen, einen Schritt nach rechts machen, Füße parallel aufstellen, einen guten Meter voneinander entfernt, dann ausatmen. Die Hände auf die Taille stützen, einatmen, den Rücken strecken, ausatmen und den Oberkörper gerade nach vorn beugen. Die Hände im schulterbreiten Abstand zueinander zwischen den Füßen aufsetzen. Wieder einatmen, die Hände auf dem Boden lassen, den Rücken strecken, die Brust anheben, ausatmen und den Rücken ganz herunterbeugen. Jetzt sollte die Schädelkrone den Boden berühren. Das Sitzbein hoch zur Decke heben. Die Beine sollten gestreckt sein. Wenn das nicht möglich ist, dürfen die Beine beim Einnehmen und beim Abschluss der Position gebeugt sein. Die Ellenbogen hinten abwinkeln.

Mit etwas Übung wirst du die Hände parallel zu den Füßen halten können, mit dem Kopf zwischen den Beinen.

PASCHIMATTANASANA
SITZENDE VORBEUGE

Die sitzende Vorbeuge gehört zu den beruhigendsten Yogapositionen. Sie hat eine entspannende Wirkung auf den gesamten Körper und das Nervensystem. Ein gut funktionierendes Nervensystem ist für die Magen-Darm-Funktion extrem wichtig. Der Darm erhält seine Signale über das Nervensystem. Steht es unter Stress, beeinflusst das den Bauch negativ. Diese Position stimuliert zudem die Verdauungsorgane, die Leber und die Nieren. Außerdem dehnt sie die gesamte Körperrückseite und stärkt den Rücken.

Mit ausgestreckten Beinen hinsetzen, Füße und Knie gerade nach vorn, falls möglich. Einatmen, Rücken strecken, ausatmen, den Oberkörper nach vorn beugen, mit den Händen die Außenseiten der Füße umfassen oder die Hände vor den Füßen falten. Einatmen, wieder nach oben strecken und mit dem sanften Vorbeugen des Oberkörpers gleichzeitig ausatmen und langsam nach unten gehen. Jetzt können die Knie gebeugt werden, sollten jedoch beieinanderbleiben. Wenn du die Füße nicht erreichst, umfasse das Schienbein. Schultern und Nacken entspannen, Beine jedoch unter Spannung halten. Bei Rückenbeschwerden können die Knie gebeugt werden – dann nicht so tief nach vorn in die Position gehen.

Bei Bauchbeschwerden solltest du die Position für mindestens zehn lange, tiefe Atemzüge halten. Nach Paschimottanasana ist eine Gegenbewegung sehr wichtig, siehe Purvottanasana, die folgende Übung.

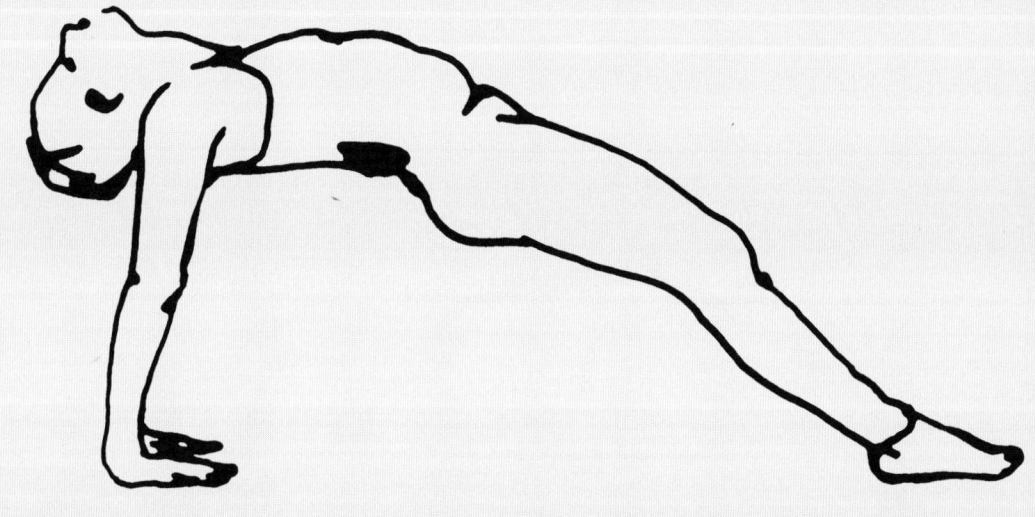

PURVOTTANASANA
SCHIEFE EBENE

Die Schiefe Ebene stimuliert die Atmungsorgane, öffnet Brust und Schultern, streckt den Bauch und verschafft dem Magen und den Verdauungsorganen Platz. Anfangs könnte dir diese Position schwerfallen, da sie sehr anstrengend ist, aber versuche es so gut wie möglich. Es geht jedes Mal leichter – halte durch!

Hinsetzen und die Beine mit geschlossenen Füßen am Boden ausstrecken. Die Hände 20 bis 30 Zentimeter hüftbreit hinter dem Rücken aufsetzen. Einatmen, Hüften anheben und mit geraden Beinen abstützen. Versuch, die Fußsohlen vollständig am Boden zu halten. Den Kopf vorsichtig nach hinten beugen, entspannt zur Nasenspitze schauen, ausatmen. Wenn es dir schwerfällt, die Beine gestreckt zu halten, kannst du die Knie beugen, die Beine sollten jedoch zusammen sein.

Solltest du in dieser Position einen Krampf erleiden, kann das an Magnesiummangel liegen – oder daran, dass du dir zu wenig Salz zugeführt hast.

JANU SIRSASANA
KOPF-KNIE-STELLUNG

Janu Sirsasana beugt Problemen mit Prostata und Harnröhre vor und lindert Menstruations- sowie Wechseljahresbeschwerden. Diese Position stimuliert den unteren Bereich von Bauch und Mitte sowie die Leber und die Nieren. Sie kräftigt außerdem die Knie und öffnet die Hüften. Für einen größeren Effekt kann man den Rücken stärker runden, die Stirn zum Bein bringen und die Position auf beiden Seiten mindestens zehn Atemzüge lang halten.

Hinsetzen, die Beine ausstrecken und den rechten Fuß an die Innenseite des linken Oberschenkels bringen, ungefähr im 90-Grad-Winkel. Den linken Fuß des ausgestreckten Beines umfassen, einatmen, Rücken nach oben strecken, ausatmen und nach vorn beugen. Kinn oder Stirn sollten auf dem Bein ruhen. Wenn du den Fuß nicht erreichst, kannst du die Hände auf das ausgestreckte Bein legen. Die Beine angespannt lassen und die Schultern entspannen.

Erst die rechte Seite dehnen, dann die linke.

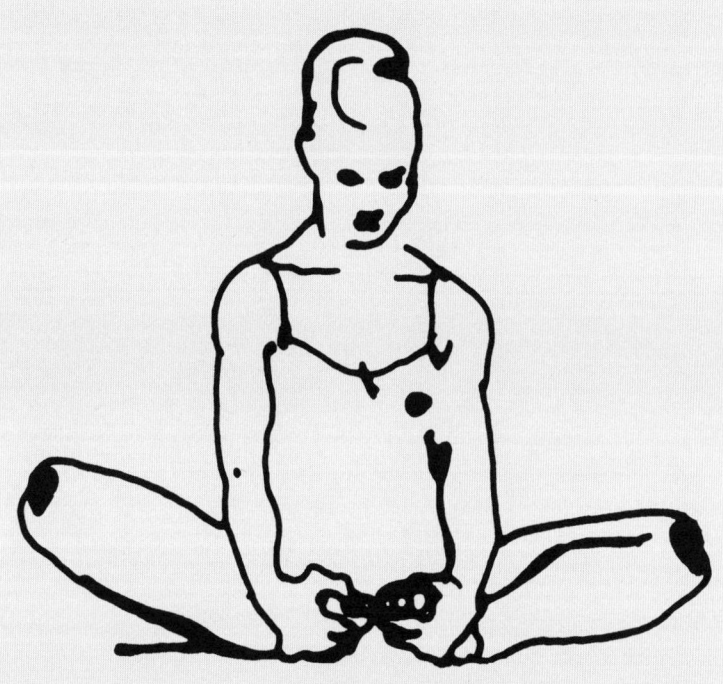

BADDHA KONASANA
SCHUSTERSITZ/WINKELSITZ

Baddha Konasana ist eine wichtige Position für Schwangere. Sie öffnet die Hüften, kräftigt den Rücken, beugt Problemen mit Harnwegen, Prostata, Gebärmutter, Eierstöcken und Hämorrhoiden vor, regt die Verdauung an und stärkt den unteren Bauchbereich.

Hinsetzen, einatmen, die Füße mit etwas Abstand zum Körper mit den Fußsohlen nebeneinander aufsetzen. Die Daumen zwischen die Zehen stecken und die Füße öffnen, während die Fersen miteinander Kontakt haben (wie eine Lotusblüte), ausatmen. Einatmen, Rücken strecken, ausatmen und den Oberkörper vorsichtig nach vorn beugen – langsam, bis die Stirn oder das Kinn den Boden berühren. Mit entspannten, nicht nach vorn gezogenen Schultern vorsichtig beugen. Während der ganzen Übung tiefe Atemzüge machen.

KAPITEL 4

Indische Küche

Indische Küche – ein Gesundheits- booster

Die indische vegetarische Kost ist uralt und gleichzeitig hochmodern. Betrachtet man die neuesten Empfehlungen dazu, was wir essen sollten, um uns wohl zu fühlen, ist es, als beschriebe man eine traditionelle indische Mahlzeit. Sie enthält sehr wenig gesättigte Fettsäuren, aber umso mehr ungesättigte. Sie baut auf Gemüse und Hülsenfrüchten sowie Obst, Nüssen und Samen auf. Keine Fleisch- und Metzgerei- produkte, kein Zucker und kein weißes Mehl. Werden Milchprodukte verwendet, dann häufig in Form von Joghurt. Die sogenannte Mittel- meerkost wird oft als sehr gesund bezeichnet – ich sehe viele Ähn- lichkeiten mit der indischen Küche. Beide verwenden zum Beispiel viel Gemüse und Hülsenfrüchte. Außerdem sind Gewürze Bestandteil indischer Gerichte, die nicht nur gut schmecken, sondern uns auch guttun. In Indien wird es als selbstverständlich angesehen, dass Er- krankungen durch Essen geheilt und gelindert werden können. Vor allem jedoch geht es darum, durch richtiges Essen gesund zu bleiben. Denn in der indischen Tradition werden viele Erkrankungen als Symptome für ein Ungleichgewicht im Körper oder Anzeichen dafür betrachtet, dass wir unseren Lebensstil ändern sollten.

Thali – die ultimative Mahlzeit voll nützlicher Bakterien

Ein Thali ist ein Teller mit mehreren Sorten von Gerichten. Ihr Aussehen und das Aroma hängen davon ab, wo in Indien sie serviert werden, welche Zubereitungsmethoden verwendet wurden und welche Zutaten vorhanden waren. Thali gibt es in millionenfacher Variation – vom luxuriösen Silberteller bis zum einfachen Bananenblatt. Jeder Teilstaat und jede Region haben typische Gerichte, und auch die Religion spielt eine Rolle. Vegetarische Speisen sind zum Beispiel bei den Hindus am weitesten verbreitet.

Allen gemeinsam ist, dass die Gerichte bei einem Thali einander durch Aroma, Farbe, Aussehen, Konsistenz und Nährstoffe ergänzen. Das Rezept ist oft das Ergebnis mühevoller Arbeit, das von Generationen indischer Hausfrauen entwickelt wurde. Ein wichtiger Aspekt ist, dass die Zutaten so zusammenspielen sollten, dass die Bakterien in unserem Darm effektiv kooperieren können: eine Voraussetzung für die optimale Aufnahme von Nährstoffen.

Neueste Forschungsergebnisse zu unseren Darmbakterien belegen, dass sie von großer Bedeutung für unsere Gesundheit sind. Sie helfen uns nicht nur, Nahrung zu verdauen – sie beeinflussen auch das Müdigkeitsempfinden, die Fettverbrennung und die Möglichkeit, unser Gewicht zu halten. Je mehr pflanzliche Nahrung wir aufnehmen, desto besser geht es der Darmflora. Indisches Essen schafft optimale Voraussetzungen für die nützlichen Darmbakterien.

Es ist eigentlich allgemein bekannt, dass Gerichte mit gesättigtem Fett, Fleisch und weißem Mehl nicht gut sind. Sie sind nicht nur nährstoffarm, sondern führen außerdem zu einer Verschlechterung der Darmflora. Bis zu tausend verschiedene Bakterienarten können in unserem Darm angesiedelt sein. Man geht davon aus, dass die Anzahl der Arten mit unserem Lebensstil zusammenhängt, da es Studien gibt, die darauf hinweisen, dass Naturvölker mehr Sorten von Bakterien in ihrem Verdauungssystem haben als wir in der westlichen Welt. Gesundheitsprobleme wie Fettleibigkeit und Herz-Kreislauf-Erkrankungen beruhen zum Teil auf einer armen Bakterienflora. Bei einer indischen Mahlzeit könnte es sein, dass die Bakterien Freudensprünge machen.

Denn die Bakterien leben vor allem von verschiedenen Sorten Fasern aus dem Pflanzenreich, die ein Thali enthält. Indem man vom saisonalen Angebot ausgeht und die Zutaten variiert, verleiht ein Thali die ultimativen Voraussetzungen für die Funktion von Bakterien. Wenn viele Bakterien kooperieren, wird das Risiko für Erkrankungen geringer, weil sie sich gegenseitig unter Kontrolle halten. Keine einzelne Art kann zu stark wachsen und die potenziell krankheitserregenden

Bakterien werden in Schach gehalten. Ein großer Teil der körperlichen Immunabwehr befindet sich im Darm: Hier sind viele der Zellen vorhanden, die den Körper gegen Infektionen verteidigen. Eine unausgeglichene Darmflora kann zu stärkeren Entzündungen im Körper führen. Durch den Verzehr indischer Speisen wird der Magen ständig mit neuen nützlichen Bakterien versorgt.

Die meisten von uns sind keine indischen Hausfrauen, die Zeit haben, sich jeden Tag mit verschiedenen Suppen, Reis und hausgemachtem Brot zu beschäftigen. Ein Tipp ist, viel Essen zuzubereiten. Koche zum Beispiel einen großen Topf Linsenbrei an einem Tag und füge am nächsten Tag gekochtes Gemüse hinzu. Am dritten Tag bereitest du einen Tomateneintopf mit Panir zu, der für zwei Mahlzeiten reicht und mit verschiedenen Beilagen serviert wird.

Balance im Leben, im Darm & überall

Bei Yoga geht es um Mäßigung und Gleichgewicht, zum Beispiel zwischen Ein- und Ausatmen sowie Ruhe und Training. Das gilt auch für die indische Küche, deren Geheimnis in der Ausgewogenheit liegt.

Bei den Gewürzmischungen können um die zehn Gewürze Teil eines Gerichts sein, ohne dass es als zu stark empfunden wird. Bei dieser Mischung namens Masala sollte kein Gewürz dominieren, sondern alle gemeinsam das Geschmackserlebnis ausmachen. Auch die verschiedenen Gerichte gleichen einander in Bezug auf Zutaten, Nährstoffe, Aroma, Konsistenz und Farbe aus. Die Mahlzeiten liefern Kohlenhydrate in Form von Reis und Brot sowie Proteine aus Linsen, Kichererbsen, Joghurt, Frischkäse, Nüssen und Samen. Gemüseeintöpfe stecken voller Vitamine und Mineralien und die meisten Zutaten liefern viele Ballaststoffe.

Was das Aroma angeht, sollte ein indisches Gericht ausgewogen sein und zwischen süß, salzig, sauer und bitter sowie würzig und kühlend liegen. Um den Geschmack der Hauptgerichte zu durchbrechen, gibt es Aromen in Form von Pickles oder Chutneys, die aus eingelegtem

Gemüse und Obst oder frischer Kokossoße bestehen können. Außerdem wird das Gericht mit Joghurt oder Raita abgerundet, die beide säuerlich und kühlend sind. Das Gleichgewicht zwischen den Aromen sollte auf zufriedenstellende Art ein Sättigungsgefühl hervorrufen. Unausgewogenheit kann zu Heißhunger führen, sodass wir essen, obwohl wir im Grunde gar nicht hungrig sind.

Die Aromen hängen mit der Konsistenz der Gerichte zusammen, die von Linsensuppe bis zu gebratenem Gemüse variieren können. Man beginnt häufig mit einem trockeneren Curryeintopf, der mit Brot gegessen wird, und geht dann über zu dünnflüssigeren Eintöpfen, bei denen der Reis die Soße aufnimmt.

All diese Konsistenzen und Aromen machen indisches Essen so gut. Ein indischer Koch berichtete mir einmal, dass es im Gegensatz zur westlichen Küche, bei der die Zutaten oft kombiniert werden, weil sie ähnlich schmecken, in der indischen Küche genau umgekehrt ist. Hier werden Zutaten gemischt, die keine chemische Schnittstelle haben. Jede Zutat trägt daher mit einer einzigartigen Komponente zum Ganzen bei, und das macht die indische Küche so unwiderstehlich. Außerdem sollte ein Thali auch ein Augenschmaus sein. Die Farben der Eintöpfe können grün sein – durch Brokkoli und Zucchini, rot durch Tomaten und Zwiebeln oder gelb durch Linsen.

Ist die Mahlzeit beendet, fehlt noch eine indische Spezialität, die mit der Verdauung zusammenhängt. Damit man sich nicht aufgedunsen oder aufgequollen fühlt, werden nach dem Essen Fenchelsamen verzehrt. Die kleinen Samen mit Lakritzaroma können so, wie sie sind, oder mit einem farbenfrohen Zuckerüberzug serviert werden.

Lasse dich nicht davon abschrecken, dass alles ausgewogen sein sollte. Das ist überhaupt nicht schwer. Viele Rezepte sind schnell und einfach nachgekocht, wie du im Buch sehen wirst.

Sattva-Diät – die ursprüngliche Yoga-Ernährung

Der hinduistischen Philosophie nach wird die Nahrung in drei Kategorien aufgeteilt:

Sattva – steht für Reinheit, Harmonie und Balance. Dazu gehören Obst, Gemüse, Getreide, Linsen, Nüsse und Milchprodukte. Diese Rohstoffe sollen uns weiser machen, unser Leben verlängern, uns stärken und uns außerdem zu Wohlbefinden sowie innerem Frieden verhelfen.

Raja – steht für Aktivität, Gereiztheit oder Rastlosigkeit. Der Verzehr dieser Lebensmittel kann ein Genuss sein, sie wirken jedoch stimulierend und können Körper und Geist aufwühlen. Sehr salzige Speisen oder zu starke Gewürze, Kaffee, Tee und Schokolade gehören zu Raja. Diese Zutaten sollten vermieden werden.

Tamas – steht für Trägheit oder Faulheit und charakterisiert Nahrung, die überreif, alt, schlecht zubereitet, nährstoffarm ist oder schlecht riecht. Zu Tamas zählen Fleisch, Alkohol, Pilze und anderes, das nach hinduistischer Tradition Erkrankungen oder Trägheit hervorruft.

„Yoga passt nicht zu dem, der zu viel isst, aber auch nicht zu dem, der zu viel fastet", heißt es in der *Bhagavad Gita*, einer der zentralen Schriften des Hinduismus. Die Ernährung nach Sattva entspricht dem Yoga-Lebensstil, bei dem Mäßigung wichtig ist. Zu schnelles Essen ist Raja und zu viel ist Tamas. In Harmonie speisen ist Sattva. Ich bin der Ansicht, dass es Situationen gibt, in denen man sehr müde ist und vielleicht ein bisschen Raja als Kick braucht. Oder man fühlt sich zu aufgedreht und benötigt etwas Tamas, um sich zu beruhigen.

Die Top Ten der indischen Ernährungs- philosophie

Viele Menschen, die Yoga praktizieren, wollen so rein und natürlich wie möglich essen. Gern leicht verdauliche Speisen, die dem Körper die Energie liefern, die er benötigt, und nicht auf der Yogamatte belasten. Aber nach traditioneller indischer Lehre gibt es keine Diät, die zu jedem passt: Es gilt, auf den Körper zu hören und sich vorzutasten. Dagegen gibt es bestimmte Grundprinzipien, die ich für vernünftig halte und die mir und meinem Bauch zum Wohlbefinden verholfen haben.

1. Nur essen, wenn man hungrig ist, und nicht aus anderen Gründen.

2. In Ruhe essen, langsam und gut kauen.

3. Präsent sein und die Speisen genießen.

4. Sich nicht pappsatt essen, sondern etwa ein Viertel des Magens leer lassen, um die Verdauung zu erleichtern.

5. Nicht zu oft essen, sondern den Bauch in Ruhe verdauen und zwischendurch leer werden lassen.

6. Zu festen Zeiten essen.

7. Kein frisches Obst mit anderen Speisen mischen, Chutney aus Obst ist jedoch kein Problem.

8. Zutaten nach Saison wählen, Nahrung vermeiden, die weite Wege zurückgelegt hat.

9. Am besten nicht während des Essens trinken, sondern danach. Wenn man beim Essen trinkt, ist Wasser am besten.

10. Zutaten variieren.

Die besten indischen Zutaten

Nach der Schwesternlehre des Yoga, Ayurveda, verleiht richtige Ernährung sogenanntes Prana, was man mit Lebenskraft übersetzen kann. Hier treffen sich alte und neue Ideale, denn Nahrung, die Prana verleiht, ist ökologisch und ohne chemische Zusätze. Auf Fast Food und Halbfabrikate wird verzichtet, solche Produkte gab es ja nicht, als die Ayurveda-Theorien entstanden sind. Stattdessen werden Gemüse, Hülsenfrüchte, Vollkorn, Nüsse, Samen und frisches Obst verwendet. Raffiniertes Weizenmehl und Zucker wie auch Fleisch sollten vermieden werden. Aber wie weiß man, welches Gemüse nützlich ist? Ich glaube, es ist nicht wichtig, *welches* Gemüse man isst, sondern *dass* man es isst. Gelingt es dann noch, Gemüse mit verschiedenen Farben zu verzehren, ist das spitze. Die Farben signalisieren nämlich Vitamine, die auf verschiedene Art vor freien Radikalen und somit vor Krankheit und Alterung schützen.

Freie Radikale werden gebildet, wenn wir atmen und der Körper Nahrung in Energie umwandelt. Sehr hartes Training, Tabakrauch und Luftverunreinigung verschlimmern die Situation. Als Gegengift stellt der Körper Antioxidantien zur Neutralisierung der freien Radikale her. Antioxidantien sind in pflanzlicher Nahrung reichlich vorhanden, also in Obst, Beeren, Gemüse und Kräutern.

Gelbe Paprika und Zitrone stecken voller Vitamin C, aber auch Kurkuma enthält jede Menge Antioxidantien.

Grünes Obst und Gemüse wie Brokkoli und Spinat ist Bestandteil vieler indischer Gerichte und randvoll mit Phytochemikalien, die unter anderem Krebs vorbeugen.

Orangefarbenes Obst und Gemüse signalisiert einen Beta-carotingehalt, der freie Radikale effektiv bekämpft. Möhren werden beispielsweise sowohl für indische Hauptgerichte als auch für Desserts verwendet.

Blaue/violette Beeren sowie blaues/violettes Obst und Gemüse enthalten Anthocyane, welche die Körperzellen vor freien Radikalen schützen und somit der Alterung vorbeugen können. Trauben werden in Indien angebaut und deshalb oft verzehrt. Und Rote Bete kann zum Beispiel in Raita verarbeitet werden.

Rote Paprika, Tomaten, Erdbeeren und roter Chili sind reich an Lycopin, einem starken Antioxidans, von dem angenommen wird, dass es das Risiko für Herz- und Gefäßerkrankungen, Krebs sowie Osteoporose senkt. Die Zubereitung mit Wärme macht die Antioxidantien noch wirkungsvoller.

Zutaten, die nicht farbenfroh sind, können ebenfalls Antioxidantien enthalten. Zwiebeln, oft Grundlage der indischen Küche, enthalten Quercetin und Allicin. Blumenkohl enthält das Antioxidans Sulforaphan.

Da viele indische Gerichte vegetarisch sind, enthalten sie automatisch viel Gemüse. Man muss ein Rezept nicht einmal genau befolgen, sondern nimmt das, was im Haus ist, und wirft es zusammen.

Eine Grundlage für indisches Essen kann man herstellen, indem man ganzen Kreuzkümmel in einer Pfanne mit Öl anröstet – dann kommen geriebener Ingwer, gehackter Chili und zuletzt Zwiebeln hinzu. Wenn die Zwiebeln glasig werden, gibt man das Gemüse, das man im Haus hat, und etwas Kurkuma, Salz und Pfeffer dazu. Rösten, bis das Gemüse etwas weich wird. Jetzt hast du eine Basis für viele Gerichte. Man kann zum Beispiel gekochten Reis, geröstete Nüsse und frischen Koriander untermischen oder das Gemüse zu einem Omelett und weichem Brot genießen. Oder man gibt das Gemüse zum Beispiel in einen übriggebliebenen Linsenbrei.

Indische Küche & Kohlenhydrate

Indische Kost enthält jede Menge Kohlenhydrate – und daran ist wirklich nichts verkehrt. Der Trick dabei ist, dass es Kohlenhydrate voller Nährstoffe sein sollten. Gute Kohlenhydrate enthalten Ballaststoffe und haben einen niedrigen GI (glykämischer Index): Sie erhöhen den Blutzucker nur langsam. Indische Gerichte enthalten Kohlenhydrate in Gemüse, Obst, Hülsenfrüchten, Nüssen und Samen sowie in Reis und Brot. Aber hier sollte eine gewisse Auswahl getroffen werden. Weißer Reis ist ein raffiniertes Produkt, das die meisten Nährstoffe verloren hat, die sich in seiner Schale befanden. Heute wird weißer Reis oft mit Vitamin B_1 angereichert. Besser ist es jedoch, unbehandelten Reis zu verzehren, der auf natürlichem Wege Vitamine, Mineralien und Fasern liefert. Früher war der unbehandelte, braune Reis in Indien viel üblicher, heute jedoch wird nahezu überall weißer Reis serviert. Ich versuche, zu Hause Naturreis einzuführen, werde aber immer von den Kindern überstimmt. Erschwerend kommt hinzu, dass auch ich eine Schwäche für den fluffigen indischen Basmatireis habe. Glücklicherweise hat Basmatireis einen niedrigeren GI als andere klebrige asiatische Reissorten wie Jasminreis.

Beim indischen Brot gibt es unzählige Varianten. Am gängigsten ist Chapati, ein ungesäuertes, dünnes Brot, das zu Hause in der Pfanne gebacken wird. Es wird aus Vollkornweizen hergestellt und enthält deshalb gesunde Kohlenhydrate. In Restaurants wird häufig Naan-Brot aus feinstem Weizenmehl serviert, im Tandoori-Ofen gebacken. In Indien nimmt man es genau mit dem raffinierten Weizenmehl, das für Naan verwendet wird, und dem, das man für Chapati verarbeitet. Auch der Anlass, also wann man welche Sorte isst, wird unterschieden: Naan an Feiertagen, Chapati im Alltag. Wenn man also Chapati täglich isst, kann man einen Tag in der Woche mit einem Naan-Brot feiern.

Protein
für Yogis

Heutzutage möchte man meist möglichst viele Proteine zu sich nehmen. Und natürlich benötigt der Körper Proteine, um Zellen aufzubauen und zu reparieren, aber die müssen nicht aus Fleisch stammen.

Die schwedische Lebensmittelbehörde empfiehlt uns, weniger Fleisch und insbesondere Metzgereiprodukte zu verzehren, weil diese das Risiko für Dickdarmkrebs und Herzgefäßerkrankungen erhöhen. Durch vegetarische Ernährung sinkt die Wahrscheinlichkeit von Übergewicht und Herzgefäßerkrankungen. Vielleicht geht der Fleischverkauf in Schweden deshalb zurück und immer mehr Menschen werden zu Vegetariern. Es ist die Rede von „Veggie goes mainstream" und das Angebot an vegetarischen Gerichten in Restaurants und Geschäften explodiert.

Manch einer zweifelt jedoch, ob er so vollwertiges Protein erhält, wenn er den Fleischkonsum einschränkt oder einstellt. Mit vollwertig ist der Gehalt an Aminosäuren gemeint, die der menschliche Körper nicht selbst herstellen kann, die jedoch lebenswichtig sind. Fleisch und Eier enthalten sämtliche dieser sogenannten Aminosäuren, Nüsse und Bohnen hingegen nicht. Wir müssen unserem Körper jedoch nicht alle Aminosäuren aus demselben Rohstoff zuführen, sie können aus unterschiedlichen Quellen stammen.

Das Gute an der indischen Veggie-Ernährung ist, dass sie Mengen an Proteinen aus dem Pflanzenreich enthält, die außerdem auf eine Art kombiniert werden, die dem vollwertigen tierischen Protein entspricht. Bohnen, Linsen und Kichererbsen enthalten beispielsweise die Aminosäure Lysin, aber wenig Methionin. Reis enthält dagegen viel Methionin, jedoch wenig Lysin. Gemeinsam sind sie eine vollwertige Kombination. Insbesondere Reis ist reich an Methionin, wie auch Haferflocken.

Die meisten Bohnen haben einen hohen Proteinanteil. Sojabohnen enthalten über 30 Gramm Protein pro 100 Gramm, Kidneybohnen mehr als 20 Gramm – etwa dieselbe Menge wie ein Rinderfilet. In der indischen Küche werden Bohnen für verschiedene Curryeintöpfe verarbeitet. In Nordindien ist der würzige Kidneybohneneintopf Rajma fester Bestandteil des Mittag- und Abendessens. Das populärste Gericht jedoch, das in ganz Indien in Millionen Varianten gekocht wird, ist der Linseneintopf Dal. Er ist für den Bauch auch bekömmlicher als Rajma, wie ich finde. Bei so gut wie jeder Mahlzeit gibt es ein Schälchen Dal, das mit Gemüse, Joghurt, Reis und Brot Mengen an gutem Protein liefert.

Es gibt unzählige Sorten Linsen zur Auswahl. Meine Lieblingssorte ist Mung Dal, kleine gelbe Linsen, die nicht eingeweicht werden müssen und schnell gekocht sind. Das Aroma ist mild und für den Magen sind sie besonders bekömmlich. Sie enthalten über 20 Gramm Protein pro 100 Gramm und können für Suppen und Salate verwendet werden. Mung Dal sind nicht immer in normalen Geschäften erhältlich, aber im Internet und in Asialäden. Wenn sie nicht im Angebot sind, kann man auch rote Linsen verwenden, die ebenfalls schnell zubereitet sind.

Kichererbsen sind in indischen Eintöpfen beliebt, sie werden außerdem zu Mehl gemahlen, dem Besan. Dieses glutenfreie Mehl hat einen höheren Proteingehalt als Weizenmehl und wird unter anderem zu dünnen Papadams verarbeitet oder als Bindemittel in vegetarischen Bällchen, Kofta, verwendet. Man kann einfach ausprobieren, wie man Weizenmehl durch Kichererbsenmehl ersetzen kann. Besan ist in größeren Lebensmittelgeschäften erhältlich. Neben Bohnen, Linsen und Kichererbsen sind auch andere Hülsenfrüchte wie grüne Bohnen und Erbsen ausgezeichnete Proteinquellen.

Auch Nüsse enthalten viel Protein. Ein raffinierter indischer Trick für Eintöpfe und Soßen ist, sie mit Nüssen statt Sahne zu verfeinern. Schmackhafter und gesünder! Man mixt einfach Nüsse mit der Zwiebel, die man mit Gewürzen geröstet hat, dann wird die Soße dick und schön.

Sind Yoga & Veggie-Ernährung gleichbedeutend?

Man muss kein Vegetarier sein, um Yoga zu praktizieren, viele aber werden dazu. In Indien war die vegetarische Ernährung über tausende von Jahren tonangebend. Nach dem Hinduismus darf man keine Lebewesen töten. Und auch wenn manche Hindus Fleisch essen, leben in Indien die meisten Vegetarier weltweit. Die hinduistische Denkweise spiegelt sich im Yoga wider. Die ersten beiden der acht Stufen des Yoga drehen sich darum, wie wir in der Welt leben, und bieten Richtlinien für soziales und persönliches Verhalten. Gewaltlosigkeit – Ahimsa – ist wichtiger Bestandteil der Yogaphilosophie. Viele indische Vegetarier essen jedoch Eier und Milchprodukte. Für einen Vegetarier, dem die ausreichende Versorgung mit Protein schwerfällt, können Eier und Milch einen großen Unterschied ausmachen.

Im Geiste des Yoga kann jeder auf seine Art selig werden. Ich selbst esse Fleisch, wenn ich keine andere Wahl habe. Ich bin beruflich viel unterwegs und treffe die unterschiedlichsten Menschen. Wenn ich zu Hause bei einer Familie filme, die für mich eine Ziege geschlachtet hat, esse ich das Fleisch aus Respekt vor der Familie.

Ob Vegetarier oder nicht, Linsen, Bohnen und Gemüse sind als Bestandteil der Ernährung nie verkehrt. Man muss nur neue Rezepte ausprobieren. Wenn man indisch kocht, ist die Angst vor einem Blähbauch wegen der vielen Linsen und Bohnen nicht unbedingt begründet. Indische Gerichte werden oft mit Gewürzen ausbalanciert, die den Bauch beruhigen.

Süß, sauer & ausgewogen

In Indien ist häufig die Rede vom pH-Wert des Körpers und auch das eigentliche Gericht stellt ein Gleichgewicht zwischen süß, sauer, erhitzend und kühlend dar. Der pH-Wert wird auf einer Skala von 1 bis 14 gemessen. Je niedriger, desto saurer; 7 ist neutral und ein höherer Wert basisch. Weil Erkrankungen saure Bedingungen lieben, sollte der pH-Wert des Körpers basisch sein. Ein saures Milieu verschlechtert auch die Nährstoffaufnahme. Und wenn die Verdauung schlechter funktioniert, werden wir müde und empfänglicher für Infektionen.

Der Mensch besteht größtenteils aus Wasser und genau wie ein Gewässer fühlen wir uns bei einem zu niedrigen pH-Wert nicht wohl. Der Körper kann das in gewissem Maß kompensieren, aber es schadet nicht, ihn dabei zu unterstützen. Sonst kann es passieren, dass die im Skelett gespeicherten Mineralien zur Erhöhung des pH-Werts genutzt werden, was zu Entkalkung und Osteoporose führen kann. Wie man auch Kalkung gegen saure Gewässer einsetzt, so kann man auch den Bauch mit basischen Lebensmitteln unterstützen.

Aus indischer Sicht sollten wir mindestens 70 Prozent basische Nahrung zu uns nehmen, um einen gute pH-Bilanz zu erzielen. Basische Lebensmittel versorgen den Körper ausreichend mit Mineralien, damit er sich nicht selbst ausraubt. Außerdem wird die Immunabwehr gestärkt, man erhält mehr Energie und eine strahlende Haut. Außerdem sind basische Lebensmittel schonender für den Magen. Aber in unseren Breiten essen wir heute häufig umgekehrt, also nur 30 Prozent basische Nahrung.

Basische Lebensmittel sind Obst und Gemüse, aber auch Wurzelfrüchte, Beeren, Algen, viele Wurzeln und Nüsse. Kurioserweise trägt auch die Zitrone zur Erzeugung eines basischen Milieus bei, obwohl sie sauer ist. Das gilt auch für die Limette, die Grapefruit und die Orange. Rohstoffe, die Kalium, Calcium und Magnesium enthalten, sind nämlich basisch. In Indien sind daher Limetten-Pickles oft Bestandteil von Mahlzeiten. Nach indischer Tradition sollten wir den Tag auch gern mit einem Glas Zitronen- oder Limettenwasser beginnen. Auch zum Kochen werden Zitrusfrüchte verwendet und Limettensaft wird manchmal über fertige Speisen geträufelt. In manchen Restaurants wird ein Teller mit Limette, Zwiebel und Chili als Beilage zum Essen gereicht.

In Indien ist Joghurt fester Bestandteil vieler Gerichte, weil er die scharfen Gewürze kühlt. Genau wie Zitrusfrüchte ist Joghurt sauer, aber dennoch basisch, weil er viele Mineralien enthält. Außerdem enthält Joghurt Milchsäurebakterien – auch gut für den Bauch. Die meisten indischen Haushalte stellen ihren Joghurt, den sogenannten Dahi, selbst her. Ich mache Dahi in Schweden nicht selbst, unser Klima ist für den Fermentierungsprozess nicht so gut geeignet. Aber ich versuche, hausgemachten Joghurt zu essen – wo auch immer ich in Indien lande –, um die lokalen Bakterien aufzunehmen. Ein Kollege behauptete, das sei eine effektive Art, Magenkrankheiten zu vermeiden, und das funktioniert bei mir tatsächlich sehr gut. Die indische Küche verwendet Joghurt nicht in riesigen Mengen, was schlau ist, da Milchprodukte generell leicht sauer sind. Es gibt eine Reihe anderer Zutaten, die indischen Gerichten Säure verleihen, wie zum Beispiel Tamarinde. Sie ist in Asialäden oder im Internet erhältlich. Im Supermarkt wird Tamarindenpaste angeboten, die man auch verwenden kann. Die getrocknete Tamarindenfrucht wird zum Ziehen in Wasser gelegt. Nach einer Weile wird das Wasser abgegossen und für Breie, Suppen oder Chutney verwendet. Im Süden Indiens kocht man auch mit Kokum. Oft werden ganze Kokumschalen einfach in das Gericht gelegt und mitgekocht. Unreife Mango ist eine andere übliche saure Zutat, die zum Beispiel in Pickles oder Chutneys enthalten ist.

Milchsäure wird weltweit seit Urzeiten verwendet, auch weil sie so gesund ist. In Indien sind die häufigsten fermentierten Gerichte Dosa und Idli, die zu Hause und in Restaurants in ganz Indien zubereitet werden. Dosas sind dünne Pfannkuchen und Idlis tassenförmige, gedämpfte kleine Küchlein. Der Teig mit hohem Proteingehalt wird aus Linsen und Reis zubereitet. Durch die Fermentierung bilden sich Milchsäurebakterien, die den pH-Wert des Körpers senken. Der Teig für Dosas und Idlis ist in unserem heimischen Klima etwas schwerer herzustellen – es ist aber einen Versuch wert. Meiner Erfahrung nach ist die Säuerung eine Aufgabe für das Lebensmittelhandwerk; sie verlangt viel Präzision. Wichtig sind saubere Behälter und die Raumtemperatur, um die Fermentierung in Gang zu setzen.

Welche Rohstoffe sollte man meiden, damit der pH-Wert nicht zu weit abfällt? Proteinreiche Lebensmittel bilden oft Säure, insbesondere Fleisch, Fisch, Eier und Milchprodukte. Indische Gesundheitsgurus empfehlen seit langem Protein aus dem Pflanzenreich in Form von Hülsenfrüchten, man muss aber den Verzehr von säurebildenden Lebensmitteln nicht komplett einstellen. Wichtig ist, nicht zu viel davon zu essen und sie mit viel Obst und Gemüse auszugleichen – dann kann der Körper die Säuren aus dem Protein neutralisieren. Außerdem sollte man raffinierte Lebensmittel und Halbfertigprodukte vermeiden, weil beim Produktionsprozess wichtige oft basische Mineralien verloren gehen. Säuerbildende Wirkung haben außerdem Nikotin, Alkohol, Gluten, Zucker, Limonade, Süßigkeiten, Tee und Kaffee. Aber nicht nur das, was wir uns über den Mund zuführen, beeinflusst den pH-Wert. Stress senkt den pH-Wert, sodass man mit Yoga auch Körper – und Seele – helfen kann, weniger sauer zu sein.

Natürlich Gewürze!

Gewürze haben in der indischen Küche eine wichtige Bedeutung und werden zum einen wegen des Geschmacks und zum anderen wegen ihrer Wirkung auf den Körper eingesetzt. Mit getrockneten und frischen Gewürzen erzeugt man üblicherweise verschiedene Aromen. Viele der Gewürze sind bakterientötend. Andere werden als gut für die Verdauung angesehen und manche nach indischer Tradition als Medizin verwendet.

Chili

In der indischen Küche sind zumeist zwei Arten von Chilifrüchten vertreten: die grünen, die frisch verarbeitet werden, und die roten, die meist getrocknet Verwendung finden. Viele verzehren auch grünen Chili als Beilage zu einem Gericht. Es gibt viele Mythen um die gesundheitsfördernde Wirkung von Chili. Unter anderem liefern Studien einen Hinweis darauf, dass der Stoff Capsaicin, der für die Schärfe des Chilis verantwortlich ist, gegen Herzgefäß- und Stoffwechselerkrankungen wirksam sein soll. Es sind jedoch weitere Untersuchungen erforderlich, bevor man mit Sicherheit sagen kann, dass Chili Krankheiten vorbeugt. Dagegen weiß man, dass Capsaicin durch die Erhöhung der Wärmeproduktion die Verbrennung im Körper beschleunigt. Es handelt sich jedoch um sehr geringe Veränderungen und nicht um etwas, was das Gewicht nennenswert beeinflusst.

Curryblätter

Curryblätter werden in der indischen Küche ungefähr wie Lorbeerblätter verwendet. Sie können zu Beginn oder Ende der Zubereitung mit Gewürzen in Öl geröstet oder im Eintopf mitgekocht werden. Ungeachtet der Methode geben die Blätter ein feines Aroma ab, das den Geschmack der anderen Gewürze intensiviert.

Fenchelsamen

Fenchel wird in Indien als hilfreich bei Verdauungsbeschwerden betrachtet. Die Öle der Pflanze wirken krampflösend auf den Darm und tragen zum Abtransport der Gase bei. Fenchel kann auch bei Erkältung und Husten wirken, da er schleimlösend ist. Bei leichteren Augenentzündungen kann abgekühlter Fencheltee zum Spülen der Augen verwendet werden, weil er außerdem entzündungshemmende Eigenschaften hat. In Indien, wo der Bauch stets im Mittelpunkt steht, ist es nahezu obligatorisch, dass Restaurants zusammen mit der Rechnung Fenchelsamen an den Tisch bringen. Man legt Wert darauf, dass die Gäste das Restaurant mit ruhigem Magen und einem frischen Geschmack im Mund verlassen.

Kurkuma

Kurkuma verleiht Curryeintöpfen ihre gelbe Farbe. Außerdem wird die Pflanze in Indien seit langem als Arzneimittel eingesetzt. Früher hatte auch die westliche Welt diese kleine Wurzel im Blick, ein Antioxidans mit entzündungshemmender Wirkung. Zu Kurkuma wurden zahlreiche Studien durchgeführt, die darauf hinweisen, dass der Stoff

Curcumin bei Erkrankungen wie Krebs und Diabetes wirksam sein kann, es gibt aber bisher keine Studie, die zweifelsfrei positive Resultate geliefert hätte. In Indien ist man der Ansicht, dass die Wirkung von Kurkuma erhöht werden kann, wenn man frisch gemahlenen schwarzen Pfeffer hinzufügt, weil man glaubt, so das Aufnahmevermögen des Körpers für Curcumin zu verbessern. Kurkuma hat nicht besonders viel Geschmack, ist jedoch Bestandteil der meisten indischen Gerichte und kann auch verwendet werden, um Reis eine schöne Farbe zu verleihen. In frischer Form ist Kurkuma heute auch bei uns erhältlich und wird zum Beispiel häufig als Zutat für Smoothies verwendet.

Hing

Trägt auch die Bezeichnung Asant oder Asafoetida und ist ein Kraut, das aus Afghanistan stammt, heute aber überall in Indien angebaut wird. Man nennt es wegen seines fürchterlichen Geruchs auch Teufelsdreck oder Stinkasant. Man sollte nur kleinste Mengen Hing verwenden. Es hat in Gerichten keinen Geruch oder Eigengeschmack, sondern intensiviert andere Aromen. Unschlagbar ist Hing vor allem gegen den Blähbauch, da es Gase reduziert. Es wird daher häufig in indischen Bohnen- und Linseneintöpfen oder anderen Gerichten mit viel Zwiebeln und Kohl verwendet, die für den Magen eine Herausforderung darstellen können.

Ingwer

In Indien und ganz Asien wurde Ingwer lange zur Linderung und Vorbeugung von allem möglichen – von Erkältung bis Migräne wie auch zur Senkung des Blutdrucks und zur Anregung der Gewichtsabnahme – eingesetzt. Moderne Forscher interessieren sich insbesondere für die Fähigkeit der Wurzel, Entzündungen zu bekämpfen. Ingwer gelangte vermutlich durch Alexander den Großen nach Europa und ist heute populärer als je zuvor. Er hat seinen Ursprung in Südasien und war eines der ersten exotischen Gewürze, die nach Europa kamen.

Ingwer schmeckt frisch und gehört zur selben Familie wie Kurkuma und Kardamom. Trotz des ausgeprägten Eigengeschmacks kann er auch andere Aromen in Speisen – von Marinaden über Getränke bis hin zu Eintöpfen – verstärken. Ich brate Ingwer an, um das warme, mildere Aroma zu erzeugen. Man kann einfach ausprobieren und schauen, was man mag: Etwas geriebener Ingwer mit Zimt und Apfelmus in Dickmilch ist zum Beispiel sehr lecker.

Zimt

Forscher haben entdeckt, dass Zimt reich ist an Polyphenolen, starken Antioxidantien. Sie sollen auch bakterienhemmend wirken und wurden lange zur Vermeidung und Bekämpfung von Erkältungen eingesetzt. Es ist kein Zufall, dass Zimt in indischer Zahncreme und amerikanischem Kaugummi enthalten ist. Seine antibakteriellen Eigenschaften schützen Zähne und Zahnfleisch, außerdem wirkt er gegen Mundgeruch. Zimt wird sogar bei Diabetes verwendet, da er zur Senkung des Blutzuckers beiträgt. Laut indischer Volksmedizin kann Zimt auch Depressionen bekämpfen, PMS lindern und die Hirnaktivität steigern. Zimt wird auch zur Erhaltung der Darmgesundheit und zur Vermeidung von Verdauungsbeschwerden verwendet.

Es gibt zwei Arten von Zimt: Ceylon-Zimt und Cassia-Zimt. Wenn man viel Zimt verwendet, sollte man versuchen, den Ceylon-Zimt zu bekommen, da er weniger Cumarin enthält, das in großen Mengen giftig sein kann. Laut Bundeszentrum für Ernährung sollte ein Erwachsener nicht mehr als einen gestrichenen Teelöffel Cassia-Zimt täglich zu sich nehmen, um das Risiko von Leberschäden zu vermeiden.

Ceylon-Zimt ist etwas feuriger und aromatischer. Ich ziehe ganze Zimtstangen dem gemahlenen Zimt in Eintöpfen und Breien vor, weil der Geschmack so runder und milder wird.

Kardamom

In Indien wird grüner und schwarzer Kardamom verwendet: Der grüne mit den kleinen schwarzen Samen ist am gängigsten. Er ist nach Safran und Vanille das drittteuerste Gewürz der Dritten Welt. In Indien wächst Kardamom wild und gleichzeitig gibt es hier die größte Produktion weltweit. Kardamom wird für angenehmen Atem und gegen Halsschmerzen verwendet. Die Inder sind auch der Ansicht, dass dieses Gewürz Gifte aus dem Körper abtransportiert und den Blutkreislauf unterstützt. Der Geschmack ist süß und während Kardamom bei uns meist für Gebäck verwendet wird, würzt er in Indien süße Nachspeisen und Desserts mit Milchprodukten. Aber in Indien ist Kardamom auch beim Kochen wichtig, zusammen mit anderen Gewürzen passt er perfekt zu milden Eintöpfen. Man kann ein paar Kapseln in den Reis geben: Das wird sehr lecker und sieht schön aus. Ich gebe gern eine „Überdosis" gemahlenen Kardamom in den Eintopf und gehe davon aus, dass er beruhigend wirkt.

Koriander

Koriander hat in Indien den Ruf, viele gesunde Eigenschaften zu haben, die Übelkeit und Magenerkrankungen entgegenwirken und die Verdauung erleichtern. Koriander ist eine pflanzliche Eisenquelle und weil er auch Vitamin C enthält, nimmt der Körper das Eisen effektiv auf. Koriander kann auch in indischen Salben gegen Gelenk- und Muskelbeschwerden enthalten sein. Die frischen Blättchen werden kurz vor dem Servieren auf das Gericht gelegt, während gemahlene Koriandersamen bei der eigentlichen Zubereitung verwendet werden.

Ich hacke die Stängel und röste sie zusammen mit Zwiebeln und Gewürzen an, das verleiht dem Ganzen ein frisches Zitrusaroma.

Gewürznelken

Gewürznelken haben einen hohen Gehalt an Eugenol, das antibakterielle, entzündungshemmende und heilende Wirkung hat. Leidet man in Indien an Zahnschmerzen, sollte man sich nicht wundern, wenn man vom Nachbarn ein paar Gewürznelken bekommt. Man legt sie in den Mund, um die Entzündung zu hemmen, und nutzt den schmerzlindernden Effekt der Gewürznelken. Es ist auch nicht ungewöhnlich, sie in Nase oder Ohren zu stecken, wenn das Problem dort sitzt. Um Gewürznelken guter Qualität zu finden, kann man eine mit dem Nagel aufbrechen: Tritt Öl aus, sind sie gut. Das Gewürz enthält auch Eisen und Calcium und an Weihnachten duftet es wunderbar, wenn man Orangen damit spickt. Ich vermeide jedoch, Gewürznelken in größeren Mengen beim Kochen zu verwenden, da ihr Aroma schnell zu dominant werden kann.

Senfsamen

Senf ist seit dem Mittelalter als Heilpflanze bekannt und wird gegen Atemwegsbeschwerden, Asthma und Husten verabreicht. Man glaubt, dass vor allem Selen und Magnesium im Senf für die Wirkung verantwortlich sind. Die Samen haben auch antibakterielle Effekte und enthalten gesundes Vitamin B_3, Mangan und Zink. In der indischen Küche werden häufig ganze Senfsamen verwendet. Sie sind rund, aromatisch und in drei verschiedenen Sorten erhältlich: weiß, braun und schwarz. Die weißen Samen sind die mildesten, die schwarzen die schärfsten, während die braunen dazwischenliegen. In bestimmten Teilen Indiens ist auch Senföl sehr beliebt. Ich röste die Samen in etwas Öl, um das feine Aroma zu intensivieren.

Kreuzkümmel

Kreuzkümmel wird in Indien als sehr nützlich für die Verdauung angesehen. Schon der Duft von geröstetem Kreuzkümmel in der Pfanne
kann die Speichelproduktion im Mund anregen. Das Gewürz soll Gase
im Bauch reduzieren und eine bakterienabtötende Wirkung haben.
Wenn man das gewisse Extra an Aroma haben möchte, kann man die
ganzen Samen in einer trockenen Pfanne rösten und dann zermahlen.
Auch fertig gemahlenes Gewürz funktioniert gut. Man kann einen
indischen Eintopf einfach komponieren, indem man ganzen Kreuzkümmel in Öl anröstet, bis Duft aufsteigt und ein zischendes Geräusch
zu hören ist. Geriebenen Ingwer und Chili hinzufügen. Kurz mitrösten
lassen und dann gehackte, frische Tomaten oder welche aus der Dose,
Salz und Kurkuma hineingeben. Einkochen lassen und Gemüse, wie
zum Beispiel grüne Bohnen und eine Dose gekochte Bohnen oder
Kichererbsen, hinzufügen. Mit frischem Koriander garnieren.

Schwarzer Pfeffer

Schwarzer Pfeffer ist der „König der Gewürze" und in Indien wie auch
weltweit populär. Er verleiht etwas Schärfe, ohne dominant zu werden,
und soll bakterienhemmende Eigenschaften haben. In Indien trinkt
man manchmal Wasser, das zusammen mit Pfefferkörnern gekocht
wurde, um Erkältungen zu bekämpfen. In der indischen Küche werden
häufig ganze schwarze Pfefferkörner zu Beginn der Zubereitung mit-
geröstet. Ich drehe die Pfeffermühle über alles, was ich koche. Es ist
wie mit Salz: Das Gericht wird besser und auch alle anderen Aromen
kommen besser durch. Auch Haferflockenbrei bekommt ungeachtet
anderer Gewürze ein paar Drehungen mit der Mühle ab.

KAPITEL 5

Rezepte

Schnell & einfach

Indische Gerichte kann man schnell und einfach zubereiten. Und die Welt bricht nicht zusammen, wenn ein paar Gewürze fehlen. Man kann eine Gemüsesorte gegen eine andere austauschen, die man lieber mag oder gerade im Haus hat. Die Rezepte in *Yoga-Küche* gehen von Zutaten aus, die ich in Indien verwende, die aber auch bei uns im Geschäft erhältlich sind.

Ein Trick, der die Sache einfacher macht, ist, zu viel zu kochen. Übriggebliebene Kartoffeln vom Vortag kann man zum Beispiel mit indischen Gewürzen, Gemüse und einer Dose Kichererbsen braten, dann ist das Mittagessen in weniger als zehn Minuten fertig. Oder man brät ein Omelett zu gebratenen Kartoffeln mit Gemüse.

Das gilt auch für den Linsenbrei, Dal. Ich koche eine ordentliche Portion, die ich am nächsten Tag aufwärme. Ich kann auch etwas Brühe dazugießen, dann wird es eine Suppe, oder ich füge für einen Gemüseeintopf etwas Gemüse hinzu. Wenn der Linsenbrei dick ist, kann man daraus Kugeln formen, sie auf ein Backblech legen und im Ofen backen, die Linsenbratlinge dann mit Salat und Joghurtsoße, Raita, in ein Pitabrot füllen.

In übriggebliebene Möhrensuppe können ein paar Tomaten gemischt werden. Alles mit Tamarinde abschmecken und dann ein paar

Fischfilets in der Soße ziehen lassen – Fischeintopf in Rekordgeschwindigkeit.

Eine indische Mahlzeit kann aus mehreren verschiedenen Gerichten bestehen, die einander ergänzen. Ich liebe es, wenn mir Essen auf diese Art serviert wird, habe aber selten Zeit, mehrere Gerichte selbst zuzubereiten. Deshalb sind die Rezepte in *Yoga-Küche* darauf ausgelegt, dass nur ein Brei, Eintopf oder Gericht serviert wird. Ich ergänze den sonnengelben Blumenkohl zum Beispiel mit Bohnen, damit er zu einer kompletten Mahlzeit wird und nicht wie in Indien ein Gericht unter mehreren ist.

Wenn man es sich wirklich einfach machen möchte, kocht man Tomatensoße in großen Mengen, wenn man ohnehin dabei ist, weil indische Rezepte normalerweise Tomaten, Zwiebeln und Gewürze als Basis haben. Die Soße kann für alles verwendet werden – vom Panireintopf bis zur Tomatensuppe. Verdopple oder verdreifache die Mengen aus dem Rezept auf Seite 142. Was nicht gebraucht wird, kommt in den Kühl- oder Gefrierschrank. Dann ist der größte Teil der Arbeit bereits erledigt, wenn du dich das nächste Mal an den Herd stellst.

In Indien isst man Salat selten so wie bei uns, und das gefällt mir gut, weil ich von rohem Gemüse Bauchschmerzen bekomme. Aber gekochte, lauwarme Salate sind eine gute Alternative und ich gehe häufig von indischen Zutaten und Aromen aus. Meine Salate sind komplette Mahlzeiten und gleichzeitig schön, farbenfroh und gesund. Außerdem sind sie schnell gemacht.

Indische Speisen müssen nicht scharf sein, aber gern voll mit den Aromen der verschiedensten Gewürze. In Indien kann sogar die Milch gewürzt sein, die sogenannte Masala-Milch. Aber lasse dich nicht von neuen Gewürzen abschrecken, man muss nicht alle verwenden und kann natürlich ausprobieren, welche man selbst am liebsten mag.

Zwiebeln werden einerseits in rauen Mengen in indischen Rezepten verarbeitet. Andererseits gibt es Menschen, die Zwiebeln und Knoblauch meiden. Die religiöse Gruppe der Jains nimmt zum Beispiel nichts zu sich, das unterirdisch gewachsen ist, da ihre Mitglieder nicht riskieren wollen, Bodenlebewesen zu töten, wenn die Ernte eingebracht wird. Andere ziehen die sogenannte Sattva-Diät vor (siehe S. 60), deren strikte Anhänger verschiedene Zwiebelsorten ausschließen. Ich selbst meide rohe Zwiebeln und gehe mit Knoblauch beim Kochen sehr sparsam um. Aber röste gern ein bisschen Knoblauch mit den Gewürzen an, wenn du indisch kochst. Man kann auch eine oder mehrere ganze Knoblauchzehen in der Soße mitköcheln lassen, dann wird der Knoblauchgeschmack milder.

Gesunde Getränke

Melonen-Shake mit Zitronenmelisse & Limette

4 GLÄSER

½ große Wassermelone oder 1 kleine, gut gekühlt

½ Limette

1 TL Honig

Ein paar Blättchen Zitronenmelisse (nach Geschmack)

Wassermelone ausschaben und das Fruchtfleisch in eine Schüssel geben.

Etwas Limette darüber auspressen und Honig in Ringen darauftröpfeln lassen.

Mit einem Stabmixer glatt mixen.

In Gläser geben und mit Zitronenmelisse garnieren.

Mango-Smoothie mit Banane & Chili

4 GLÄSER

2 gekühlte Mangos oder 250 g Mangowürfel, tiefgekühlt

1 Banane

200 ml Joghurt

½ roter Chili, gehackt und ohne Samen

Alle Zutaten mixen. Eventuell mit kaltem Wasser verdünnen, wenn der Smoothie zu dick wird. In Gläser füllen.

Echter indischer Chai

4 GLÄSER

2 cm Ingwer, gerieben

4 Kapseln Kardamom

2 Tassen Wasser

4 TL schwarzer Tee

1–4 TL Honig (nach Geschmack)

2 Tassen Milch, beliebige Sorte

Ingwer leicht zerquetschen und auf die Kardamomkapseln klopfen, damit sie sich öffnen.

Zwei Tassen Wasser in einen Topf geben, Ingwer, Kardamom, Tee und Honig hinzufügen.

Aufkochen lassen und die Milch hineingießen. Erneut aufkochen lassen und darauf achten, dass nichts überkocht.

Durch ein Sieb in Gläser gießen.

Grüner Tee mit Zitronengras & Ingwer

4 GLÄSER

2 cm Ingwer

2 Zitronengrasstängel

4 Tassen Wasser

4 Beutel grüner Tee

1–4 TL Honig (nach Geschmack)

Ingwer leicht zerquetschen und die Zitronengrasstängel klopfen

Vier Tassen Wasser in einen Topf geben, Ingwer, Zitronengras und Teebeutel hinzufügen.

Aufkochen und einige Minuten ziehen lassen.

In Gläser füllen und bei Bedarf mit Honig süßen.

Erdbeer-Lassi mit Kardamom

4 GLÄSER

150 g Erdbeeren, frisch oder tiefgekühlt

1 Banane

30 g gebrühte Mandeln, über Nacht eingeweicht

200 ml Joghurt

1 TL Honig

½ TL Ingwer, gerieben

½ TL Kardamom, grob zerstoßen, in der Pfanne geröstet

Alles bis auf den Kardamom zu einem glatten Drink mixen.

In Gläser geben und mit Kardamom bestreuen.

Mango
Lassi

Golden Milk

4 TASSEN

1 TL Kurkuma, frisch gerieben oder getrocknet und gemahlen

1 TL Ingwer, gerieben

400 ml Milch, beliebige Sorte

1 TL Kardamom, gemahlen

1 TL Vanillepulver

1 TL Zimt

1–4 TL Honig

Schwarzer Pfeffer

Alles mixen, nach Geschmack mit Honig süßen und die Mühle mit dem frischen Pfeffer ein paar Mal darüber drehen.

Warm oder kalt genießen.

Ingwer-Shot

4 GLÄSER

4 EL Ingwer, gerieben

800 ml heißes Wasser

4 TL Honig

Saft einer ½ Zitrone (nach Geschmack)

Ingwer mit heißem Wasser und Honig vermengen.

Eine halbe Stunde ziehen lassen, durch ein Sieb in eine Flasche umfüllen und abkühlen lassen.

Nach Geschmack mit etwas Zitronensaft verfeinern.

Grüner Smoothie mit Avocado, Koriander & Chia-Samen

4 GLÄSER

2 gute Handvoll frischer Spinat

1 Birne, zerkleinert

2 Avocados

½ EL Ingwer, gerieben

1 Banane

1 Bund Koriander (ein paar Blättchen zum Garnieren behalten)

1–2 TL Limettensaft, frisch gepresst

4 EL Chia-Samen, über Nacht im Kühlschrank in Wasser quellen lassen

Alle Zutaten bis auf die Chia-Samen glatt mixen, eventuell mit etwas kaltem Wasser verdünnen.

In Gläser füllen, die Chia-Samen mit einem Esslöffel in Ringen darübergeben und mit Koriander garnieren.

Frisches Mango-Chutney mit Limette & Koriander

4 PORTIONEN

2 reife Mangos, zerkleinert, oder 250 g Mangowürfel, tiefgekühlt

2 Avocados

250 g Cocktailtomaten

1 roter Chili, gehackt (ohne Samen)

1 Bund Koriander, gehackt

1 Limette

Salz und Pfeffer

Mangos in zentimetergroße Stücke würfeln oder gefrorene Mangowürfel auftauen lassen.

Avocados in gleich große Stücke teilen, die Cocktailtomaten halbieren.

Mangos, Avocados und Tomaten mit Chili und Koriander in einer Schüssel vermengen.

Limettensaft, Salz und Pfeffer hinzufügen, durchmischen und abschmecken.

Pikante Nüsse oder Kichererbsen

4 PORTIONEN

250 g Nüsse nach Geschmack, z. B. Cashewkerne, Pekannüsse, Mandeln
oder 1 Dose (400 g) gekochte Kichererbsen

2 EL Rapsöl

½ TL Salz

1 TL Gewürze nach Geschmack, z. B. Kreuzkümmel, Chiliflocken
oder Chilipulver, geriebener Ingwer, gemahlener Koriander oder Zimt

1 TL Honig (nach Geschmack)

Ofen auf 200 °C vorheizen und ein Backblech mit Backpapier auslegen.

Nüsse oder Kichererbsen in Öl, Salz und Gewürzen wenden.

Im Ofen ca. 10 Minuten rösten, bis die Nüsse oder Kichererbsen
Farbe angenommen haben und leicht kross sind.

Direkt servieren oder in einem dichten Glasbehälter mit Deckel aufbewahren.

Raita mit Möhren oder Roter Bete

4 PORTIONEN

1 EL Rapsöl
½ TL Kreuzkümmelsamen
10 Curryblätter (nach Geschmack)
80 g gekochte Rote Bete, gewürfelt, oder 1 Möhre, gerieben
1 Bund frischer Koriander, gehackt
200 ml Joghurt, gern mit hoher Fettstufe
Salz und Pfeffer

Kreuzkümmel in der Pfanne anrösten, bis er zischt und duftet.

Curryblätter, Rote Bete oder Möhre hinzufügen. Mit Salz und Pfeffer würzen, kurz unter Rühren anbraten.

Koriander hinzufügen und umrühren.

Joghurt in eine Schüssel geben und die gerösteten Zutaten dazugeben. Vorsichtig unterheben, nicht komplett vermischen.

Paprika-Walnuss-Dip

4 PORTIONEN

2 rote Paprika

55 g Walnüsse

1 roter Chili, gehackt (ohne Samen, wenn man es milder mag)

½ Bund Koriander, gehackt

Salz und Pfeffer

Backofen auf 225 °C vorheizen.

Paprika in große Stücke teilen und Samen entfernen. Die Stücke mit der Schale nach oben auf ein Blech mit Backpapier legen und im Ofen ca. 10 Minuten rösten, bis die Schale schwarz wird.

Paprika in eine Plastiktüte geben. Durch das Kondensieren löst sich die Haut leichter. Abkühlen lassen.

Die Walnüsse in einer trockenen Pfanne rösten, bis sie Farbe annehmen.

Paprikahaut abziehen.

Alle Zutaten zu einem glatten Teig mixen, bei Bedarf etwas Wasser hinzufügen.

Alles mit Salz und Pfeffer abschmecken.

Gegrillter Mais mit Chili & Limette

4 PORTIONEN

4 Maiskolben, vorgekocht oder frisch

1 TL Salz

1 TL Chilipulver

1 Limette

Mais grillen, bis er weich ist und Farbe bekommt.

Salz und Chilipulver in einer kleinen Schüssel vermengen.

Die Limette in vier Spalten teilen.

Die Limettenspalten in Salz und Chili dippen und die Maiskolben damit einreiben.

Koriander-Kokos-Soße

4 PORTIONEN

1 Bund Koriander

1 grüner Chili, gehackt (ohne Samen, wenn man es milder mag)

½ Limette, Saft

1 TL Ingwer, gerieben

2 EL Kokosraspel

50 ml Wasser (evtl. mehr für flüssigere Konsistenz)

Salz und Pfeffer

Kokosraspel in 50 ml Wasser geben und mindestens 20 Minuten quellen lassen.

Alles zu einer glatten Soße mixen, für eine flüssigere Konsistenz eventuell mit etwas Wasser verdünnen.

Alles mit Salz und Pfeffer abschmecken.

Diese Soße passt zu den meisten Gerichten in diesem Buch.

Tomaten-Chutney mit Tamarinde

4 PORTIONEN

1 gelbe Zwiebel, in Scheiben

1 roter Chili, gehackt (ohne Samen, wenn man es milder mag)

1 EL Ingwer, gerieben

1–2 EL Rapsöl

500 g Cocktailtomaten, halbiert – gern in verschiedenen Farben

100 ml Tamarindenwasser (S. 76)

1 Prise Feinzucker

Salz und Pfeffer

Zwiebel, Chili und Ingwer bei mittlerer Hitze in Öl anbraten, bis die Zwiebel glasig wird.

Tomaten, Salz und Pfeffer hinzufügen. Braten, bis die Tomaten weich und etwas eingekocht sind.

Tamarindenwasser angießen und aufkochen lassen.

Mit Zucker, Salz und Pfeffer abschmecken.

Grünes Chutney to die for

4 PORTIONEN

1 gelbe Zwiebel, gehackt

1 grüner Chili, gehackt (ohne Samen, wenn man es milder mag)

1 EL Ingwer, gerieben

100 g Cashewkerne

1 gute Handvoll frischer Spinat

1 Bund Koriander

300 ml griechischer oder türkischer Joghurt

1 EL Limettensaft, frisch gepresst

1 Prise Feinzucker

Salz und Pfeffer

Zwiebel, Chili und Ingwer anbraten, bis die Zwiebel glasig wird.

Cashewkerne in einer trockenen Pfanne leicht rösten.

Röstzwiebelmischung und Nüsse mit den restlichen Zutaten in einen Mixer geben und zu einem glatten Brei mixen.

Mit Salz und Pfeffer abschmecken. Zwischen Süße und Säure sollte ein Gleichgewicht herrschen, also je nachdem mehr Limette oder etwas Zucker hinzufügen. Kühlen.

Das Chutney passt toll zu Gegrilltem, zu etwas trockeneren Gerichten wie dem sonnengelben Röstblumenkohl (S. 129) oder als Dip zu Snacks.

Porridge mit Erdbeeren & Chili

4 PORTIONEN

400 ml Wasser

400 ml Milch, beliebige Sorte

1 TL Salz

½ TL Chiliflocken

1 TL gemahlener Kardamom (oder 8 Kapseln)

200 g Haferflocken

50 g Cashewkerne (am besten über Nacht einweichen lassen)

8 große Erdbeeren, zerkleinert

Wasser mit Milch, Salz und Gewürzen aufkochen.

Haferflocken dazugeben und bei geringer Hitze 3–5 Minuten kochen. Mehrmals umrühren.

Cashewkerne und Erdbeerstücke unterrühren.

Sofort servieren.

Unwiderstehliches Porridge

4 PORTIONEN

800 ml Wasser

1 TL Salz

1 Prise Safran

4 Zimtstangen

1 TL gemahlener Kardamom (oder 8 Kapseln)

Schwarzer Pfeffer, 20 Drehungen mit der Mühle

200 g Haferflocken

65 g Mandeln (am besten gebrüht und über Nacht eingeweicht)

4 Bananen

400 ml Milch, beliebige Sorte

Wasser mit Salz und allen Gewürzen aufkochen lassen.

Haferflocken dazugeben und bei geringer Hitze 3–5 Minuten köcheln lassen. Mehrmals umrühren.

Mandeln unterrühren.

Mit Bananenscheiben und Milch servieren.

Grießbrei auf indische Art

4 PORTIONEN

70 g Grieß

1–2 EL Rapsöl

1 TL schwarze Senfsamen

1 TL getrocknete Linsen

1 kleine gelbe Zwiebel, gehackt

1 grüner Chili, gehackt und ohne Samen

10 Curryblätter (nach Geschmack)

25 g Möhren, gekocht und zerkleinert

27 g grüne Erbsen, gekocht

800 ml Wasser

Salz und Pfeffer

Grieß in einer trockenen Pfanne leicht anrösten. In einer Schüssel zur Seite stellen.

Öl in einer Pfanne erhitzen, Senfsamen und Linsen hineingeben und kurz anbraten, bis sie aufpoppen.

Zwiebel hinzufügen und braten, bis sie glasig ist.

Chili und Curryblätter dazugeben, kurz mitbraten.

Möhren und Erbsen in die Pfanne geben, kurz weiterbraten. Mit Salz und Pfeffer würzen.

Grieß hinzufügen und unter Rühren rösten, bis alles gut gemischt ist.

Mit Wasser ablöschen, aufkochen lassen und die Hitze auf niedrigste Stufe zurückschalten. Unter Rühren simmern lassen, bis der Grieß die Flüssigkeit aufgenommen hat.

Mit Salz und Pfeffer abschmecken. Sofort servieren.

Indischer Granola-Crunch mit Joghurt & Beeren

CA. 700 ML

50 g Cashewkerne

65 g Mandeln

200 g Haferflocken

50 g Kokosraspel

35 g ganze Leinsamen

1 TL Kardamom, gemahlen

1 TL Ingwer, gerieben

1 TL Zimt

100 ml Apfelsaftkonzentrat

2–4 EL Honig

1 EL Rapsöl

1 Prise Salz

Einige kräftige Drehungen mit der Pfeffermühle

Backofen auf 175 °C vorheizen.

Nüsse, Mandeln, Haferflocken, Kokosraspel, Leinsamen und Gewürze in einer Schüssel vermengen.

Apfelsaft, Honig und Öl darübergeben. Salzen und pfeffern, gut mischen.

Die Mischung auf einem Backblech mit Backpapier verteilen und Granola rösten, bis es knusprig ist (ca. 15 Minuten). Mehrmals umrühren. Abkühlen lassen.

Joghurt auf Teller oder Schälchen verteilen, Granola und frische Beeren oben verteilen.

Granola in einem gut verschließbaren Glasbehälter aufbewahren.

Mini-Dosas – indische Pfannkuchen

4 PORTIONEN

2 EL Kokosraspel

140 g Grieß

2 EL Weizenmehl

100 ml Joghurt

100 ml Wasser

½ TL Kreuzkümmelsamen

Rapsöl zum Braten

1 grüner Chili, gehackt
(ohne Samen, wenn man es milder mag)

1 kleine gelbe Zwiebel, gehackt

½ Bund Koriander, gehackt

Salz und Pfeffer

Getrocknete Kokosraspel 20 Minuten in 50 ml Wasser quellen lassen.

Grieß, Mehl, Joghurt und Wasser zu einem Teig vermengen. 20 Minuten ruhen lassen.

Kreuzkümmel in einer Pfanne mit Öl anrösten, bis er zischt und duftet. Chili hinzufügen und kurz rösten, Zwiebel dazugeben und braten, bis sie glasig ist. Mit Salz und Pfeffer würzen. Alles in den Teig geben.

Kokos abseihen und in den Teig geben, Koriander hinzufügen und eventuell mit etwas Wasser verdünnen, wenn der Teig zu dick ist. Die Konsistenz sollte einem normalen Pfannkuchenteig entsprechen.

Etwas Öl in einer Pfanne stark erhitzen und jeweils 1 EL Teig für kleine Küchlein hineinklecksen oder eine Plättlagg, eine schwedische Pfannkuchenpfanne mit kleinen Vertiefungen, verwenden. Pfannkuchen so dünn wie möglich ausbacken. Wenden, wenn eine Seite Farbe angenommen hat.

Mit frischem Chutney und pikant gerösteten Kichererbsen (S. 101) servieren.

Tipp:

Dosas stammen aus dem Süden Indiens, sind aber so beliebt, dass sie heute überall im Land zu finden sind. Oft besteht der Teig aus gemahlenen Linsen und Reis, der fermentiert ist. Dieser ist bei unserem kühleren Klima jedoch schwer zuzubereiten, außerdem gibt es diesen Linsentyp nicht überall im Laden. Deshalb backe ich Rava Dosas. Sie werden aus Grieß gemacht, der in Indien Semolina oder Rava genannt wird. Die Pfannkuchen können als Edelfrühstück oder später als leichter Lunch bzw. als Abendessen serviert werden.

Masala-Omelett

4 PORTIONEN

1–2 EL Rapsöl

1 grüner Chili, gehackt (ohne Samen, wenn man es milder mag)

2 Tomaten, gehackt

8 Eier

½ Bund Koriander

Salz und Pfeffer

Öl in einer Pfanne erhitzen. Chili und Tomaten, Salz und Pfeffer hinzufügen. Ein paar Minuten rösten, bis der Chili weich ist und die Tomaten Flüssigkeit abgeben.

Eier mit etwas Salz und Pfeffer aufschlagen und in die Pfanne geben.

Koriander hacken und darüberstreuen.

Wenn das Omelett gestockt ist, kann es direkt serviert werden, sofern man es cremig mag. Ich wende es und backe es auch auf der anderen Seite kurz aus. Sehr lecker mit frisch gebackenem Chapati.

Spinatsalat mit Feigen, Pistazien & Panir

4 PORTIONEN

1 Zucchini

500 g Babyspinat

Panir, zerkleinert (S. 138)

1–2 EL Rapsöl

½ TL Chilipulver

1 Prise Kurkuma

4 Feigen, halbiert

65 g Pistazien, geschält

½ Bund Koriander, gehackt

Salz und Pfeffer

Zucchini der Länge nach mit einem Käsehobel dünn schneiden, in eine Schüssel legen und mit etwas Salz vermengen.

Spinatblätter auf einem Servierteller anrichten.

Die Panirstücke mit etwas Chilipulver, Salz und Pfeffer in Öl anbraten. Beiseitestellen.

Zucchini mit einem Tuch abtupfen und mit Kurkuma und Pfeffer in Öl goldgelb anbraten.

Zucchini auf dem Spinat anrichten, dann die Panirstücke. Darauf die Feigen, Pistazien und den Koriander verteilen.

Süßkartoffeln mit Kichererbsen, Erdnüssen & Koriander

4 PORTIONEN

2 große Süßkartoffeln, geschält und gestiftelt

2 EL Rapsöl

1 Dose (240 g) Kichererbsen

140 g Erdnüsse, ungesalzen

250 g Cocktailtomaten – gern in verschiedenen Farben

1 roter Chili, gehackt (ohne Samen)

½ Limette, Saft

½ Bund Koriander, gehackt

Salz und Pfeffer

Backofen auf 225 °C vorheizen. Die Süßkartoffelstifte auf einem Backblech mit Backpapier in Öl, Salz und Pfeffer wenden. In der Ofenmitte ca. 20 Minuten rösten. Danach auf dem Backblech etwas abkühlen lassen.

Die Kichererbsen abwaschen und mit einem Küchentuch abtrocknen.

Die Erdnüsse in einer trockenen Pfanne rösten.

Cocktailtomaten zerkleinern.

Alles in einer Salatschüssel mit Chili, Limettensaft und Koriander vermengen. Servieren.

Avocados mit pikant gerösteten Kichererbsen & Walnüssen

4 PORTIONEN

500 g grüne Bohnen

4 Avocados

½ Limette, Saft

½ TL Chiliflocken

1 Bund Koriander

1 grüner Chili, gehackt (ohne Samen, wenn man es milder mag)

½ EL Ingwer, gerieben

110 g Walnüsse

1 Dose (400 g) Kichererbsen, pikant geröstet (S. 101)

1 rote oder gelbe Paprika, zerkleinert

Salz und Pfeffer

Grüne Bohnen einige Minuten in Salzwasser blanchieren, bis sie weich werden. Auf einem Küchentuch ausbreiten und abdampfen lassen.

Avocados in Stücke teilen. Mit etwas Limettensaft, Chiliflocken, Salz und Pfeffer vermengen.

Koriander, Chili, Ingwer und Limettensaft mit Salz und Pfeffer in eine Schüssel geben und zu einem glatten Dressing mixen.

Die Walnüsse in einer trockenen Pfanne rösten.

Vorsichtig grüne Bohnen, Paprika und Avocados in einer großen Schüssel vermischen.

Gegrillte Möhren mit Ingwer, gerösteten Samen & Koriander

4 PORTIONEN

90 g getrocknete Munglinsen

1 Zitrone

1–2 EL Rapsöl

1 kg geschälte Möhren, gestiftelt

1 EL Ingwer, gerieben

150 g Kürbis- und/oder Sonnenblumenkerne

½ Bund Koriander, gehackt

Salz und Pfeffer

Munglinsen für mindestens 20 Minuten in Wasser einweichen, gern auch länger.

Backofen auf 225 °C vorheizen.

Geriebene Zitronenzesten auf einem Teller verteilen. Zitrone in Spalten teilen und eine Spalte für später aufbewahren.

Eine Ofenform einfetten und Zitronenstücke, Möhren und Ingwer hineinlegen. Salzen und pfeffern, vermengen und im Ofen 10 Minuten rösten, bis die Möhren Farbe annehmen. Herausnehmen und etwas abkühlen lassen.

Unterdessen Kürbis- und/oder Sonnenblumenkerne in einer trockenen Pfanne anrösten.

Wasser von den Munglinsen abgießen, abspülen. Linsen und Möhren vermischen, die Zitronenzesten unterheben und etwas Zitronensaft darüberträufeln.

Samen und Koriander über Möhren und Linsen streuen. Mit Salz und Pfeffer abschmecken.

Sonnengelber Röstblumenkohl

4 PORTIONEN

2–4 EL Rapsöl

1 TL schwarze Senfsamen

1 roter Chili, gehackt (ohne Samen)

500 g Kartoffeln, gekocht und zerkleinert

500 g Blumenkohlröschen, gekocht

1 TL Kurkuma

1 Dose (240 g) getrocknete schwarze Bohnen

½ Bund Koriander, gehackt

Öl in einer Pfanne erhitzen. Senfsamen hineingeben und anbraten, bis sie aufpoppen.

Chili hinzufügen und kurz rösten.

Kartoffeln und Blumenkohl unterheben, Kurkuma darüberstreuen und unter Rühren braten, bis alles heiß und gleichmäßig goldgelb ist.

Die Bohnen abspülen und in die Blumenkohlmischung geben, mit Koriander garnieren.

Tipp:

Statt Blumenkohl kann auch anderes Gemüse verwendet werden, das im Haus ist. Und man nimmt natürlich die Bohnen, die man am liebsten mag.

Schnell zubereitete grüne Bohnen mit Kokos, Reis & Spiegelei

4 PORTIONEN

2 EL Kokosraspel

400 g grüne Bohnen

2–3 EL Rapsöl

2 TL schwarze Senfsamen

3 ganze rote Chilischoten, getrocknet

2 TL getrocknete rote Linsen
oder Munglinsen

1 grüner Chili
(ohne Samen, wenn man es milder mag)

10 Curryblätter (nach Geschmack)

1 rote oder gelbe Zwiebel, gehackt

4 Portionen Reis, gekocht

4 Spiegeleier

Salz und Pfeffer

Kokosraspel mindestens 20 Minuten in Wasser einweichen.

Die grünen Bohnen in leicht gesalzenem Wasser kochen.

Öl in einer Pfanne erhitzen, Senfsamen und getrocknete Chilis hinzufügen.

Wenn die Senfsamen aufpoppen, Linsen hinzufügen und umrühren.

Grünen Chili, Curryblätter und Zwiebel dazugeben. Anbraten, bis die Zwiebel glasig wird.

Wasser von den Kokosraspeln abgießen und die Raspel mit der Zwiebel-Gewürzmischung kurz mitbraten.

Grüne Bohnen hinzufügen und einige Minuten rösten. Mit Salz und Pfeffer abschmecken.

Mit dem gekochten Reis vermengen und braten, bis alles heiß ist.

Auf Tellern anrichten und mit Spiegelei servieren.

Dal – der geniale Linsenbrei auf drei Arten

4 PORTIONEN

Gelber Dal

1–2 EL Rapsöl

1 TL Senfsamen

1 TL Kreuzkümmelsamen

10 Curryblätter (nach Geschmack)

1 TL Kurkuma

1 Msp. Hing (nach Geschmack)

1 ganzer gelber Chili (nach Geschmack)

180 g getrocknete Munglinsen

600 ml Wasser

Salz und Pfeffer

Öl in einem Topf erhitzen, Senfsamen und Kreuzkümmel hineingeben und rösten, bis sie aufpoppen.

Curryblätter, Kurkuma, Hing und Chili hinzufügen und kurz mitrösten. Munglinsen waschen und mit dem Wasser in den Topf geben.

Aufkochen lassen und umrühren. Hitze reduzieren und etwa 20 Minuten köcheln lassen, bis die Linsen eine püreeartige Konsistenz haben.

Eventuell mit etwas Wasser verdünnen. Mit Salz und Pfeffer abschmecken.

Dazu Kokosreis (S. 150) und Salat als Beilagen servieren.

Grüner Dal

160 g getrocknete grüne Linsen (oder 2 Dosen gekochte)

800 ml Wasser

1 gelbe Zwiebel, gehackt

1 grüner Chili, gehackt (ohne Samen, wenn man es milder mag)

1 EL Ingwer, gerieben

1–2 EL Rapsöl

1 TL Kardamom, gemahlen

200 ml Kokosmilch

1 Bund Koriander, gehackt

Salz und Pfeffer

Linsen für 8–24 Stunden in Wasser einweichen. Je länger sie einweichen, desto kürzer die Kochzeit. Linsen abspülen und mit Deckel für ca. 10 Minuten (oder bis sie weich sind) in Wasser kochen. Wasser abgießen. Man kann auch vorgekochte grüne Linsen aus der Dose verwenden.

Zwiebel, Chili und Ingwer in Öl anbraten, bis die Zwiebel glasig ist.

Kardamom und Kokosmilch hinzufügen, aufkochen lassen.

Koriander dazugeben und alles zu einer glatten grünen Soße mixen. Mit Salz und Pfeffer abschmecken.

Die gekochten Linsen unterheben. Dazu gelben Gewürzreis (S. 150) und Tomatensalat als Beilagen servieren.

Roter Dal

180 g getrocknete rote Linsen

800 ml Wasser

1 Portion würzige Tomatensoße (S. 142)

200 ml Tamarindenwasser (S. 76, nach Geschmack)

Salz und Pfeffer

Linsen abspülen, ca. 10 Minuten (oder bis sie weich sind) in Wasser kochen. Wasser abgießen.

Die Linsen mit der würzigen Tomatensoße vermengen.

Das Tamarindenwasser in die Soße gießen und aufkochen lassen. Mit Salz und Pfeffer abschmecken.

Dazu gelben Gewürzreis (S. 150) und Kopfsalat als Beilagen servieren.

Mildes Korma mit Kichererbsen-bällchen

1 TL Kreuzkümmelsamen

1–2 EL Rapsöl

1 Chili, gehackt
(ohne Samen, wenn man es milder mag)

½ TL gemahlener Koriander

½ TL Kurkuma

1 Msp. Hing (nach Geschmack)

200 g Mandeln
oder Cashewkerne, geröstet

1 Dose (400 g) Kichererbsen

50 g Möhren, fein gerieben

1 Ei oder 100 g Halloumi, gerieben

1 Zitrone, Zesten

1 Bund Koriander, gehackt

1 Prise Salz

Schwarzer Pfeffer

1 Portion würzige Tomatensoße (S. 142)

100 ml Naturjoghurt

Backofen auf 200 °C vorheizen.

Kreuzkümmel in einer Pfanne mit Öl anrösten, bis er zischt und duftet. Chili, gemahlenen Koriander, Kurkuma und Hing hinzufügen und kurz mitrösten.

Mandeln oder Cashewkerne anrösten und die Hälfte zur Seite stellen.

Kichererbsen abspülen, mit Mandeln oder Cashewkernen und den übrigen Zutaten außer der Tomatensoße und dem Joghurt zu einem recht festen Teig mixen. Etwas Koriander als Garnierung zurückbehalten.

Den Teig zu Kugeln formen, auf ein Blech mit Backpapier legen und im Ofen ca. 20 Minuten backen, bis die Teigkugeln eine schöne Farbe angenommen haben.

Die restlichen Mandeln oder Cashewkerne in die Tomatensoße geben und zusammen mit dem Joghurt mixen.

Die Soße mit Salz und Pfeffer abschmecken. Falls sie zu dick ist, etwas Wasser hinzufügen. Zum Schluss die Kichererbsenbällchen vorsichtig unterheben und servieren.

Koriander darüberstreuen. Dazu gelben Gewürzreis (S. 150) und Kopfsalat als Beilagen servieren.

Panir
auf zwei Arten

Bei fast allen meinen Bekannten zählt Palak Panir, Spinat mit Frischkäse, zu den indischen Lieblingsgerichten. In Indien wird Palak Panir mit frischem Spinat vom Markt zubereitet, es gelingt aber auch mit tiefgefrorenem. Im Restaurant werden häufig Blattspinat und Sahne verarbeitet. In der indischen Küche wird der Brei normalerweise zu einer glatten, dunkelgrünen Soße gemixt. Im Restaurant werden die Panirstücke oft gebraten oder frittiert, bevor sie in die Spinatsoße kommen, gesünder ist es jedoch, sie direkt hineinzugeben.

Ich serviere Panir in einem Tomateneintopf (S. 142). Das Lieblingsessen meiner Tochter und das Erste, was wir immer kochen, wenn sie nach Indien kommt.

Der indische Frischkäse Panir ist in Asialäden oder indischen Lebensmittelgeschäften erhältlich, man kann ihn jedoch auch ziemlich problemlos selbst zubereiten. Der Joghurt kann weggelassen werden, ich finde jedoch, dass er dem Ganzen eine feine, cremige Konsistenz verleiht.

Panir

4 PORTIONEN

3 Liter Milch, mindestens 3 % Fettgehalt, gern auch mehr

150 g griechischer oder türkischer Joghurt mit ca. 10 % Fett

Saft von 1 Zitrone oder Limette

Die Milch in einem großen Topf aufkochen lassen. Beim Aufkochen Joghurt und Zitronen- oder Limettensaft hinzufügen. Das sollte sehr schnell geschehen, damit die Milch nicht überkocht.

Bei schwacher Hitze simmern lassen, dabei vorsichtig und langsam rühren. Die Milch trennt sich fast augenblicklich, die Flüssigkeit wird transparent und Klumpen aus Frischkäse bilden sich. Einige Minuten weiterköcheln, bis sich die Käsemasse ganz von der Flüssigkeit getrennt hat.

Ein dünnes Küchenhandtuch in ein Sieb legen und alles abgießen. Flüssigkeit abtropfen lassen. Das Handtuch fest von oben zusammendrehen und von oben beschweren, damit der Käse 20–30 Minuten gepresst wird. Käse in Würfel schneiden.

Palak Panir

4 PORTIONEN

2 EL Rapsöl

1 TL Kreuzkümmelsamen

1 gelbe Zwiebel, gehackt

1 grüner Chili, gehackt (ohne Samen, wenn man es milder mag)

2 TL Ingwer, gerieben

1 Tomate, gehackt

½ TL Kurkuma

1–2 TL Garam Masala

1 TL Salz

500 g Spinat, frisch oder tiefgekühlt

100 ml Schlag- oder Kokossahne

Schwarzer Pfeffer

1 Portion Panir (S. 138)

Frischer Koriander zum Garnieren

Öl in einem Topf erhitzen, Kreuzkümmel hineingeben und rösten, bis er duftet.

Zwiebel, Chili und Ingwer anbraten, bis die Zwiebel glasig wird.

Tomaten, Kurkuma, Garam Masala und Salz hinzufügen. Ca. 10 Minuten rösten, bis die Tomaten zu Mus geworden sind.

Den Spinat braten, bis er weich wird, dann die Sahne dazugeben. Alles ein paar Minuten einkochen lassen.

Mit Salz und frisch gemahlenem Pfeffer abschmecken.

Käse in Würfel schneiden, in die Soße legen und kurz erwärmen. Mit Koriander garnieren.

Mit gelbem Gewürzreis (S. 150) oder Chapati (S. 152) servieren.

Würzige Tomatensoße

4 PORTIONEN

1 TL Kreuzkümmelsamen

1 EL Rapsöl

1 Chili, gehackt (ohne Samen, wenn man es milder mag)

1 EL Ingwer, gerieben

1 gelbe Zwiebel, gehackt

½ TL Kurkuma

400 g gewürfelte Tomaten aus der Dose

Salz und Pfeffer

Kreuzkümmel in einem Topf mit Öl anrösten, bis er zischt und duftet.

Chili und Ingwer hinzufügen und kurz umrühren, bis sie etwas Farbe angenommen haben.

Zwiebel hinzufügen und anbraten, bis sie glasig ist.

Salz und Kurkuma dazugeben. Umrühren, sodass die Gewürze mit der Zwiebel eine Weile rösten.

Tomatenwürfel hineingeben und 20–30 Minuten einkochen lassen.

Soße mit Salz und Pfeffer abschmecken.

Tipp:

Mit diesem Rezept als Basis kann man auch andere Gewürze verwenden und so neue Geschmackskombinationen und Gerichte kreieren.

Tomateneintopf mit Panir

4 PORTIONEN

1 Portion würzige Tomatensoße

1 TL Kardamom, gemahlen

1 TL Garam Masala

1 EL Rapsöl

100–200 ml Kokosmilch

Panir, in Würfeln

½ Bund Koriander

Salz und Pfeffer

Würzige Tomatensoße in einem Topf erwärmen.

Kardamom und Garam Masala in Öl anrösten und in die Soße geben.

Kokosmilch hineingießen. Die Soße glatt mixen und mit Salz sowie Pfeffer abschmecken.

Panirstücke unterheben und warm werden lassen.

Mit Koriander garnieren. Dazu gelben Gewürzreis (S. 150) und Kopfsalat als Beilagen servieren.

Cashewkerne in Tomatensoße

4 PORTIONEN

2 EL Rapsöl

4 Kapseln Kardamom

2 Stangen Zimt

2 gelbe Zwiebeln, fein gehackt

1 roter Chili, gehackt (ohne Samen, wenn man es milder mag)

1–2 TL Garam Masala

100 ml Tomatenpüree

200 ml Kokosmilch

100 g Cashewkerne – am besten über Nacht einweichen

Salz und Pfeffer

Öl in einer Pfanne erhitzen. Kardamomkapseln und Zimtstangen hineinlegen. Einige Minuten anbraten, zwischendurch umrühren. Auf die Kapseln drücken, damit sie sich öffnen.

Zwiebeln, Chili und Garam Masala hinzufügen. Braten, bis die Zwiebeln glasig sind.

Tomatenpüree und Kokosmilch hineingeben, ca. 10 Minuten einkochen lassen. Eventuell mit etwas Wasser verdünnen.

Cashewkerne hinzufügen und weitere 5–10 Minuten köcheln lassen.

Mit gelbem Gewürzreis (S. 150), Kopfsalat und Chapati (S. 152) servieren.

Tomatensuppe mit Garam Masala & pikant gerösteten Kichererbsen

PIKANTE, SÄTTIGENDE HAUPTGERICHTE

1 Portion würzige Tomatensoße (S. 142)

1 l Gemüsebrühe

2 EL Rapsöl

2 TL Garam Masala

1 Portion pikant geröstete Kichererbsen (S. 101)

Vom Grundrezept für die würzige Tomatensoße ausgehen, diese glatt mixen und mit Brühe verlängern.

Öl in einer Pfanne erhitzen und Garam Masala rösten.

Die Suppe in Schalen verteilen, die pikant gerösteten (oder nur gekochten) Kichererbsen hinzufügen.

Etwas Garam Masala darüberringeln.

Mit Chapati (S. 152) oder anderem Brot servieren.

Möhrensuppe mit Ingwer, Orange & Kokosmilch

Süße von Möhren und Kokos, Schärfe von Chili und Ingwer, Säure der Orange und gutes Protein aus Linsen.

4 PORTIONEN

2 gelbe Zwiebeln, gehackt

1 roter Chili, gehackt (ohne Samen, wenn man es milder mag)

1 EL Ingwer, gerieben

1–2 EL Rapsöl

1 l Wasser

1–2 Würfel Gemüsebrühe

180 g getrocknete rote Linsen

1 kg Möhren, in Scheiben

200 ml Kokosmilch

1 Orange, frisch gepresst

Frischer Koriander

Salz und Pfeffer

Zwiebeln, Chili und Ingwer in einem großen Topf in Öl anrösten, bis die Zwiebeln glasig sind.

Wasser und Brühe angießen.

Linsen waschen, mit den Möhrenscheiben hineingeben und gut 10 Minuten kochen, bis sie weich sind.

Kokosmilch und frisch gepressten Orangensaft hinzufügen und die Suppe mit einem Stabmixer durchmixen.

Mit Salz und Pfeffer abschmecken, mit Koriander garnieren.

Reis

Kokosreis mit grünen Erbsen

4 PORTIONEN

250 g Basmatireis oder eine andere Sorte

400 ml Wasser

½ TL Salz

50 ml Kokosmilch

55 g grüne Erbsen, gekocht

Wenn du Basmatireis verwendest, diesen 20 bis 30 Minuten einweichen und vor der Zubereitung abspülen.

Reis nach Verpackungsanweisung mit Wasser, Kokosmilch und Salz kochen.

Erbsen unter den Reis heben und servieren.

Gelber Gewürzreis

4 PORTIONEN

250 g Basmatireis oder eine andere Sorte

450 ml Wasser

½ TL Salz

1 Prise Kurkuma

2 ganze Gewürznelken

4 Kapseln Kardamom

2 Stangen Zimt

2 Sternanise

Wenn du Basmatireis verwendest, diesen 20 bis 30 Minuten einweichen und vor der Zubereitung abspülen.

Wasser mit Salz und allen Gewürzen aufkochen.

Reis hinzufügen und nach Verpackungsanweisung kochen.

Warmes Chapati – dünnes, ungesäuertes Vollkornfladenbrot

CA. 12 BROTE

180 g Vollkornweizenmehl
½ TL Salz
Ca. 150 ml Wasser
1 EL Rapsöl (nach Geschmack)
Evtl. Butter zum Einpinseln

Mehl und Salz in einer Schüssel mischen. Wasser langsam schrittweise hinzufügen, dann das Öl. Zu einem glatten Teig kneten und diesen mindestens
20 Minuten im Kühlschrank ruhen lassen.

Teig in kleinere, handtellergroße Stücke teilen. Kleine Kugeln formen und zu
runden Fladen ausrollen. Mehl verwenden, damit sie nicht anhaften.

Die dünnen Brote bei hoher Hitze in einer trockenen Pfanne braten. Danach
eventuell mit Butter einpinseln. Die Brote in einem Handtuch aufbewahren, damit
sie weich und warm serviert werden können.

Tipp:

Ich nehme etwas gröberes Weizenmehl. Das Brot gelingt auch mit gesiebtem Weizen-
Roggen-Mehlgemisch oder Graham-Mehl gut. In Asialäden gibt es spezielles Chapati-
Mehl (Atta) aus Weizen.

Mit einem Schuss Öl wird der Teig etwas geschmeidiger, aber das Brot gelingt auch ohne.

Das fertige Brot kann mit etwas Butter, Öl oder Ghee bepinselt werden.

Üppiger Obstsalat

4 PORTIONEN

1 Limette

4 Aprikosen

1 Nektarine

1 Pfirsich

4 Feigen

4 EL Granatapfelkerne

200 ml Schlag- oder Kokossahne

100 ml türkischer oder griechischer Joghurt

1 TL Honig

1 EL Kokosraspel

Limettenzesten abziehen und zur Seite stellen.

Aprikosen, Nektarine und Pfirsich kleinschneiden und vermengen. Mit Feige und Granatapfelkernen garnieren. Etwas Limettensaft darüberträufeln. Auf kleine Schalen verteilen.

Sahne schlagen, mit Joghurt und Honig vermengen. Einen Klacks Joghurtsahne auf jede Obstsalatschale verteilen.

Kokos in einer trockenen Pfanne rösten, mit Limettenzesten vermengen und über den Obstsalat streuen.

Bananeneis mit Schokolade & Nüssen

4 PORTIONEN

4–6 reife Bananen

70 g Haselnüsse

1–3 EL Kakao

50 ml Milch, beliebige Sorte (nach Geschmack)

Bananenscheiben einfrieren.

Haselnüsse in einer trockenen Pfanne rösten und grob zerstoßen.

Bananenscheiben mit Kakao und eventuell einem Schuss Milch im Mixer zerkleinern.

Das Bananeneis in Gläser geben und mit den Nüssen bestreuen.

Mango-Eis
mit Kokos

4 PORTIONEN

250 g Mangowürfel, tiefgekühlt

100 ml Kokosmilch

1 EL Limettensaft (nach Geschmack)

1 TL Honig (nach Geschmack)

Alle Zutaten mixen, in Gläsern servieren.

Limette und Honig intensivieren das Aroma, aber das einfachste Eis der Welt gelingt auch nur mit Tiefkühlmango und einer beliebigen Milchsorte wunderbar.

Tipp:

Einige Mangostücke aufbewahren und die Gläser damit garnieren – oder mit frischen Beeren, zum Beispiel Himbeeren oder Erdbeeren.

Ein paar Blättchen Zitronenmelisse runden die Garnierung ab.

Shirkand – Joghurt mit Kardamom & Pistazien

4 PORTIONEN

2 TL Kardamomkapseln

65 g Pistazien, geschält

600 ml Joghurt, ca. 10 % Fett

1 EL Vanillezucker oder Honig

Kardamom rösten und zerstoßen. Auch die Pistazien grob mörsern. Etwas zur Garnierung zurückbehalten.

Kardamom und Nüsse mit Joghurt und Vanillezucker oder Honig mischen.

In Gläser geben, mit den zerstoßenen Nüssen und Kardamom bestreuen.

Yoga-Küche – Rezeptregister

GESUNDE GETRÄNKE **92**

Melonen-Shake mit Zitronenmelisse & Limette **92**

Mango-Smoothie mit Banane & Chili **94**

Echter indischer Chai **94**

Grüner Tee mit Zitronengras & Ingwer **95**

Erdbeer-Lassi mit Kardamom **95**

Golden Milk **97**

Ingwer-Shot **97**

Grüner Smoothie mit Avocado, Koriander & Chia-Samen **97**

UNWIDERSTEHLICHE SNACKS UND KLEINE GERICHTE **98**

Frisches Mango-Chutney mit Limette & Koriander **98**

Pikante Nüsse oder Kichererbsen **101**

Raita mit Möhren oder Roter Bete **102**

Paprika-Walnuss-Dip **104**

Gegrillter Mais mit Chili & Limette **105**

Koriander-Kokos-Soße **106**

Tomaten-Chutney mit Tamarinde **107**

Grünes Chutney to die for **109**

SOFTSTART IN DEN TAG **110**

Porridge mit Erdbeeren & Chili **110**

Unwiderstehliches Porridge **113**

Grießbrei auf indische Art **114**

Indischer Granola-Crunch mit Joghurt & Beeren **117**

Mini-Dosas – indische Pfannkuchen **118**

Masala-Omelett **121**

LAUWARME SALATE **122**

Spinatsalat mit Feigen, Pistazien & Panir **122**

Süßkartoffeln mit Kichererbsen, Erdnüssen & Koriander **124**

Avocados mit pikant gerösteten Kichererbsen & Walnüssen **125**

Gegrillte Möhren mit Ingwer, gerösteten Samen & Koriander **127**

PIKANTE, SÄTTIGENDE HAUPTGERICHTE **129**

Sonnengelber Röstblumenkohl **129**

Schnell zubereitete grüne Bohnen mit Kokos, Reis & Spiegelei **130**

Dal – der geniale Linsenbrei auf drei Arten **133**

Gelber Dal **133**

Grüner Dal **134**

Roter Dal **134**

Mildes Korma mit Kichererbsenbällchen **136**

Panir auf zwei Arten **138**

Panir **138**

Palak Panir **140**

Würzige Tomatensoße **142**

Tomateneintopf mit Panir **142**

Cashewkerne in Tomatensoße **145**

Tomatensuppe mit Garam Masala & pikant gerösteten Kichererbsen **146**

Möhrensuppe mit Ingwer, Orange & Kokosmilch **149**

Kokosreis mit grünen Erbsen **150**

Gelber Gewürzreis **150**

Warmes Chapati – dünnes, ungesäuertes Vollkornfladenbrot **152**

ENJOY WITH SWEETS **155**

Üppiger Obstsalat **155**

Bananeneis mit Schokolade & Nüssen **156**

Mango-Eis mit Kokos **159**

Shirkand – Joghurt mit Kardamom & Pistazien **160**

DANK AN ...

Stephan, Leon und Channah, weil ihr mich immer
nach Indien begleitet – und meine Kochkünste schätzt.

Hanna, meine Schwester, für die schöne Gestaltung.

Lisa Lalér für die Yogainspiration und das Wissen.

Nahid Hassan für all das gute Essen und die Fotos im
Restaurant Shanti Culture Club.